D1106301

EERO MÄKELÄ   GERO HOTTINGER   PEKKA IMMONEN

With love to Gordon,
Merri

NOUVELLES SAVEURS FINLANDAISES

PHOTOGRAPHIES PAR KAJ G. LINDHOLM

OTAVA
1890

Editions Otava Helsinki

Responsable rédactionnel : PEKKA RÅMAN
Traduit par : RUTH RUBIN ET PAUL PARANT
Composition graphique : KATJA ALANEN

Imprimé en Finlande par l'imprimerie d'Otava
Keuruu 1995

ISBN 951-1—13813-8

BIENVENUE

À LA TABLE

FINLANDAISE

La nourriture et la musique sont à maints égards de même nature. L'une et l'autre sont les domaines de la culture qui traversent peut-être le plus facilement les frontières. Et pour que nous puissions jouir des deux, nous sommes partout en possession d'une langue commune, ce qui, s'agissant d'aliments, est à prendre au sens le plus littéral.

Il n'y a rien d'étonnant à ce que le monde du goût soit notre propriété à tous. S'il est difficile de trouver une cuisine nationale ayant échappé à l'influence des cuisines voisines, il est aussi difficile, voire impossible, de trouver quelque tradition culinaire ne comportant aucun élément unique.

Nous nous sommes parfois demandés pourquoi, chez nous comme ailleurs, les traditions culinaires nationales étaient devenues de grandes sources d'inspiration chez les gastronomes.

La réponse tient en un seul mot : l'internationalisation.

La propagation rapide de l'information et des expériences des uns et des autres, ajoutée à la standardisation des us et coutumes culinaires, amènent les génies inventifs, y compris les chefs cuisiniers, à chercher des variations nouvelles sur les anciens thèmes éprouvés. Mais la compréhension des cultures étrangères ne passe-t-elle, tout compte fait, par une bonne connaissance de sa propre culture ?

Nouvelles saveurs finlandaises se veut avant tout un ouvrage traitant de la cuisine nationale. Il propose au lecteur un voyage au pays des quatre saisons.

Ce livre ambitionne d'être plus qu'une simple relation de l'histoire unique de la table finlandaise. Il entend familiariser le lecteur avec l'avenir international non moins unique qui attend notre gastronomie.

Espérons du moins que ce periple gastronomique aura le mérite de lui mettre l'eau à la bouche.

LE PRINTEMPS

QUAND LE JOUR

L'EMPORTE

SUR

LA NUIT

L'équinoxe de printemps, qui tombe le 21 mars, annonce, pour le Finlandais, la fin du long et sombre hiver, même si l'étranger peut avoir l'illusion que l'hiver bat encore son plein en cette époque de l'année.

A cette époque, la croûte de neige supporte encore bien le poids du skieur et le lac gelé résiste bien lui aussi aux cent pas du pêcheur. Mais fi de ces détails ! le Finlandais sent, lui, arriver le printemps et scrute, impatient, l'éclosion des premiers perce-neige et crocus dans son jardin.

Pâques tombe le premier dimanche suivant la pleine lune de l'équinoxe de printemps. La fête la plus ancienne du calendrier chrétien est profondément marquée, en Finlande, par la religion orthodoxe et l'Orient.

puis on prit l'habitude, au XIXe siècle, d'y ajouter des légumes comme les choux-navets, les navets et les carottes.

Les oeufs, le lait et la crème réapparaissent avec d'autant plus de force dans les desserts servis à Pâques que ces aliments ont été totalement proscrits pendant le carême.

Le *paskha*, gâteau de fromage blanc qui se présente sous la forme d'une pyramide tronquée au sommet, tout comme les *babas* et les *koulitchs* sont des desserts de la Pâque orthodoxe de la Finlande orientale que les autres provinces ont peu à peu adoptés.

Le *paskha* est un très vieux plat de Pâques dont la préparation à l'ancienne requiert temps et patience. Avant qu'il ne soit fabriqué de façon industrielle, le fromage blanc du *paskha* s'obtenait en faisant chauffer au four le premier lait fermenté à la température de la traite.

La pâte du *paskha* est un mélange de fromage blanc, de jaune d'oeuf, de beurre et de crème aigre, auquel on ajoutait, par exemple, de l'écorce d'orange confite, des raisins secs, des amandes, de la vanille et des noix. Le tout était cuit dans des moules en bois qui portaient souvent, gravés, les lettres XB, c'est-à-dire Christ Ressuscité.

Chez les 60.000 fidèles que compte l'église orthodoxe, Pâques n'est pas seulement une fête d'allégresse, elle met un terme au plus long jeûne de l'année. Les spécialités dont regorge la table orthodoxe après le carême ont fini par s'imposer à la table de Pâques des autres chrétiens.

Le rôti de mouton ou d'agneau est de plein droit le plat principal de Pâques.

Il y a longtemps, le rôti de mouton était cuit au four à pain, dans une sorte de "huche" plate qui pouvait atteindre un mètre cinquante de long. Cette huche ne contenait à l'origine que le rôti

OEUFS PEINTS ET DRÔLE DE *MÄMMI*

La décoration des oeufs durs remonte aussi aux vielles traditions de la Pâque orthodoxe.

A l'origine, les oeufs étaient teints en rouge avec de la pelure d'oignon, du marc de café ou des feuilles de roses. En se généralisant, cette coutume fut volontiers adoptée par les enfants. Le pelure d'oignon fut remplacée par les couleurs à l'eau et les petites « oeuvres d'art » prirent un aspect de plus en plus bariolées.

Les oeufs en chocolat ont, plus tard, remplacé les oeufs décorés. Les premiers oeufs en chocolat, appelés *Mignon*, étaient de vraies coquilles d'oeufs dans lesquelles était coulé du chocolat fin.

Quand, en 1896, le confiseur d'Helsinki Karl Fazer entreprit de fabriquer des oeufs en chocolat, c'est en usant d'un foret à diamant qu'étaient remplies manuellement les coquilles.

Singulier d'apparence, le *mämmi* est également un dessert de Pâques qui a traversé les siècles. Originaire du sud-ouest de la Finlande, il s'agit d'un mélange de bouillie de malt et de farine de seigle qui a longtemps cuit au four. Il est plus flatteur au palais qu'au regard.

Les sorcières ont toujours été pleines d'activité la nuit de Pâques. Elles battaient la campagne, avec leurs balais, chats et cafetières, à la recherche de laine et de morceaux de cuir.

Si les sorcières ne arpentent plus le ciel finlandais, elles ont néanmoins fait des émules : de petites gamines déguisées en sorcières vont, le dimanche des Rameaux, de porte en porte, agitant des branches de saule décorés et en formant leurs meilleurs voeux aux personnes qui les accueillent. En contrepartie, les petites sorcières sont gratifiées d'une petite gourmandise ou d'une pièce de monnaie.

SAUMONS REVENANT DE LEUR MIGRATION HIVERNALE ET PREMIERS GYROMITRES DU PRINTEMPS

Ressemblant à la morille appréciée des Européens, le gyromitre est au printemps un aliment très recherché des Finlandais. D'un beau brun foncé, au chapeau alvéolé, mais toxique sans préparation préalable, ce champignon se fait rare dans beaucoup de pays d'Europe où sa vente est de plus en plus limitée.

Pour débarrasser le gyromitre de sa substance toxique, il faut l'ébouillanter soigneusement en deux reprises en prenant soin de changer l'eau à chaque fois. On peut aussi le sécher entièrement (sans omettre de l'ébouillanter avant sa préparation).

Nombreux sont les fins gourmets qui considèrent que rien ne vaut des gyromitres cuits à la crème servies avec du saumon ou de lavaret et accompagnés de pommes de terre nouvelles.

C'est dans le fleuve *Teno*, qui suit son cours à l'extrême nord de la Finlande avant de se jeter dans l'océan Arctique, que règne en maître le roi des saumons finlandais. Sa belle chair rouge et la couleur de ses écailles le distinguent à son avantage des autres représentants de son espèce qui ont pourtant fait la réputation des autres fleuves de Laponie.

Le saumon a toujours occupé une place de choix dans la tradition culinaire finlandaise. Bon an mal an, le saumon n'a jamais manqué, ni dans le golfe de Finlande ni dans celui de Botnie. Son abondance était telle que, dans le nord de l'Ostrobotnie où les fleuves en regorgent, les contrats d'embauche interdisaient aux maîtres de maison de servir ce poisson plus de six fois par semaine à leurs saisonniers.

Que préférez-vous, le lavaret de mer ou le lavaret de lac ? Chacun a son opinion mais tous s'accordent pour affirmer que le lavaret est le meilleur au printemps ou au début de l'été. On le mange alors cru et légèrement salé. Les vrais amateurs préfèrent même le lavaret au saumon cru salé.

Le lavaret est aussi bon, frit en filet à la poêle ou cuit au four. Grillé ou fumé au feu de bois, il couronne, de l'avis de nombreux amateurs, une belle soirée d'été passée au sauna.

Y a-t-il meilleur met qu'un morceau de lavaret accompagné des premiers épinards fraîchement cueillis ? Jadis, les Finlandais soignaient, au sortir de l'hiver, leur déficit en fer en se nourrissant de plantes précoces assez singulières.

Par exemple, les jeunes orties vert clair sont douces au goût et très riches en fer. On en fait de la purée ou de la soupe comme avec les épinards. Elles donnent aussi du goût au pain.

Les délicieuses tartes ou les crèmes à la rhubarbe étaient déjà jadis des desserts fort prisés en Finlande.

LE PREMIER MAI OUVRE OFFICIELLEMENT LE PRINTEMPS, QUELLE QUE SOIT LA MÉTÉO

Vous trouverez toujours un Finlandais qui se souvient d'un beau Premier Mai, les moins jeunes en citeront même deux. En revanche, tous se souviendront d'un Premier Mai qui a était glacial, neigeux. Le Premier Mai n'en reste pas moins la fête du printemps par excellence, le grand, l'unique jour de carnaval de l'année. La Finlande a pourtant connu, exceptionnellement, une atmosphère plus carnavalesque encore, quand elle remporta, début 1995, le championnat du monde de hockey sur glace contre la Suède.

La célébration du Premier Mai commence la veille au soir. Les rues et les restaurants s'encombrent alors de fêtards agitant ballons et plumets de pacotille, et de bacheliers portant la traditionnelle casquette blanche.

Le Premier Mai s'arrose avec le *sima,* breuvage des vieux vikings fait d'eau, de cassonade, de levure, de miel et de jus de citron. Avec le sima, il y a lieu de goûter le *tippaleipä*, noeud de fils de pâte frits et saupoudrés de sucre.

Comme le Premier Mai a été bien arrosé la veille en sima et vins mousseux d'origine nationale ou importés, on comprendra que les diverses préparations de harengs et le schnaps frappé soient très à l'honneur le jour du Premier Mai. Le Premier Mai semble être le seul jour de l'année où la quasi totalité des restaurants soient bondés. Aussi y a-t-il lieu de réserver sa table suffisamment à l'avance si l'on veut être de la partie.

4 À 5 FILETS DE JEUNES HARENGS

0,5 L DE CRÈME FOUETTÉE

1 DL DE VIN BLANC SEC

0,5 DL DE VODKA

0,5 DL DE SUCRE

2 CUIL. À SOUPE D'ANETH OU DE CIBOULETTE

POIVRE BLANC MOULU

PARFAIT DE HARENGS

■ Couper les filets de hareng en petits cubes. Mélanger tous les ingrédients et verser ce mélange dans un moule à pain ou dans de petits moules individuels.

Congeler pendant un jour.

■ Servir avec de pommes de terre à l'eau et du pain de seigle brun.

Cette singulière aventure du palais sera couronnée par une bonne bière, de l'eau minérale ou un petit verre givré de vodka.

TOURTE RENVERSÉE DE CORÉGONES BLANCS

Le goujon ou les sardines fraîches conviennent à la préparation de ce plat.

■ Rincer rapidement le corégone sous l'eau froide, égoutter et sécher bien. Faire fondre la moitié du beurre dans une casserole peu profonde, ajouter le lard maigre et les poireaux. Faire revenir doucement sans laisser brunir pendant 3 minutes, retirer, laisser refroidir.

■ Abaisser la pâte de sorte qu'elle soit plus grande que le moule. Beurrer le fond du moule avec le reste du beurre (utiliser tout le beurre qui reste), saler les corégones, les assaisonner avec une pincée de poivre. Disposer les poissons en étoile, la queue vers le centre. Au besoin, ajouter une autre couche.

Etaler le mélange poireaux-lard maigre régulièrement sur les poissons, couvrir avec la pâte, enfoncer celle-ci entre le bord du moule et les poissons. Faire cuire au four à 180 °C pendant 45 minutes.

■ Retirer la tourte du four et laisser reposer 5 minutes. Démouler la tourte sur un plat de service et servir aussitôt.

Boisson : essayer le traditionnel babeurre froid, sinon s'en tenir à de l'eau minérale ou à un vin blanc frais et fruité, comme le Grüner Veltliner autrichien.

6–8 PERSONNES

800 G DE CORÉGONES NETTOYÉS ET VIDÉS

100 G DE BEURRE

100 G DE LARD MAIGRE EN TRANCHES MINCES

150 G DE POIREAUX COUPÉS EN JULIENNE

300 G DE PÂTE FEUILLETÉE

SEL ET POIVRE NOIR MOULU

5—6 PERSONNES

500 G D'ÉPAULE DE MOUTON DESOSSÉ

2,5 L D'EAU

1 CUIL. À CAFÉ DE GROS SEL

300 G DE RACINES-POTAGÈRES

3 FEUILLES DE LAURIER

1/2 CUIL. À CAFÉ DE GRAINS DE POIVRE NOIR

1/2 CUIL. À CAFÉ DE GRAINS DE POIVRE BLANC

500 G DE CHOUX BLANC EN LANIÈRES

100 G DE CAROTTES EN RONDELLES

150 G DE POMMES DE TERRES ÉPLUCHÉES, EN DÉS

200 G DE MOUTON SÉCHÉ ET FUMÉ DESOSSÉ

2 CUIL. À SOUPE DE PERSIL HACHÉ

SOUPE AU MOUTON ET AUX CHOUX

■ Mettre l'eau, le sel et l'épaule de mouton dans une marmite. Porter sur le feu. Ecumer la surface et ajouter les racines potagères, les feuilles de laurier et les poivres. Laisser cuire, couvert, 2 heures environ, jusqu'à ce que la viande soit bien cuite.

Retirer la viande et passer le bouillon. Couper la viande en cubes de 1 centimètre. Reverser le bouillon dans la marmite et ajouter le choux coupé en lanières. Laisser cuire 1 heure et ajouter les carottes, les pommes de terre, le mouton cuit et le mouton séché et fumé coupés en cubes. Retirer du feu quand les pommes de terre sont cuites.

■ Ajouter le persil juste avant servir.

SOUPE DE FROMAGE FRAIS AUX FINES HERBES

■ Cuire l'oignon dans du beurre sans le laisser colorer. Ajouter la farine et laisser cuire à feu doux pendant quelques minutes.

Ajouter le bouillon très chaud et les pommes de terre coupées en quartiers, amener à ébullition tout en fouettant, pour rendre la soupe lisse. Laisser mijoter à feu doux 15 à 20 minutes. Passer la soupe au mixeur et saler.

■ Mélanger dans une marmite tous les ingrédients pour le fromage aux herbes.

■ Verser peu à peu ce mélange sur la soupe chaude, en battant vigoureusement. Faire bien chauffer mais éviter l'ébullition. Retirer la soupe du feu et passer au mixeur encore une fois. Servir aussitôt.

4 PERSONNES

20 G DE BEURRE

1 OIGNON

20 G DE FARINE DE BLÉ

8 DL DE BOUILLON DE

LÉGUMES

2 POMMES DE TERRE, PELÉES

SEL

POUR LE FROMAGE AUX HERBES

100 G DE FROMAGE FRAIS

2 JAUNES D'OEUF

0,5 DL DE CRÈME

2 CUIL. À SOUPE DE

CORIANDRE FRAÎCHE

ET CONCASSÉE

2 CUIL. À SOUPE DE

CIBOULETTE FINEMENT

HACHÉE

1 CUIL. À SOUPE D'ANETH

FINEMENT HACHÉ

POIVRE BLANC FRAÎCHEMENT

MOULU

LAVARET EN CROÛTE

4 PERSONNES	POUR LA SAUCE
	1 ÉCHALOTE FINEMENT
1 LAVARET ENTIER, ÉCAILLÉ	HACHÉE
(1 À 1,2 KG ENVIRON)	2,5 DL DU BON COURT-
6 TRANCHES FINES DE LARD	BOUILLON
GRAS, DE LA TAILLE D'UNE	0,5 DL VIN BLANC SEC
CARTE POSTALE	2 DL DE CRÈME LIQUIDE
SEL	30 G DE BEURRE
2 GRANDES BRANCHES D'ANETH	1 CUIL. À CAFÉ D'ANCHOIS
	HACHÉES ET UN PEU
POUR LA PÂTE	DE LEUR JUS
300 G DE FARINE DE SEIGLE	2 CUIL. À SOUPE D'ANETH
100 G DE FARINE DE BLÉ	HACHÉ
400 G DE SEL FIN	POIVRE NOIR
3 DL DE BLANCS D'OEUFS	
(8 À 10 OEUFS)	

■ Préparer la pâte en mélangeant bien tous les ingrédients. Rouler la pâte dans du film alimentaire et la laisser au réfrigérateur une demi heure.

Sécher le poisson, couper les nageoires et la queue aux ciseaux. Enlever les branchies et nettoyer le sang soigneusement.

Etaler le lard sur un film alimentaire par exemple. Saler légèrement le lavaret et le farcir avec les branches d'aneth. Barder le poisson de lard.

■ Abaisser la pâte à 0,5 cm d'épaisseur, en forme de disque allongé et y enrouler le poisson. La pâte se referme facilement et colle bien.

■ Faire cuire les échalotes dans le court-bouillon et le vin, jusqu'à obtenir un sirop. Ajouter la crème et laisser cuire jusqu'à ce que la sauce épaississe un peu. Ajouter le beurre. Incorporer les anchois avec un peu de leur jus et passer au mixeur. Passer à la passoire, ajouter l'aneth et une pincée de poivre.

Faire chauffer le four à 230 °C. Poser le lavaret sur du papier cuisson et enfourner pendant 30 minutes.

A table, couper la partie supérieure de la croûte. Enlever le « couvercle » et le lard.

■ Découper le poisson et servir avec la sauce aux anchois et des pommes de terre.

Boisson conseillée : un riesling allemand du Rheingau.

SANDRE ET SAUMON FUMÉ À FROID AVEC SAUCE AU MIEL

■ Faire des entailles dans les filets du poisson avec un couteau bien aiguisé. Farcir les poches avec les tranches de saumon fumé. Poivrer les filets. Mélanger la chapelure et la farine et y paner les filets.

Laver et hacher les champignons. Faire cuire les oignons dans du beurre sans les laisser dorer. Ajouter les champignons et laisser dorer le tout légèrement. Saler, poivrer et ajouter la crème aigre.

Faire cuire les filets de sandre dans du beurre. Dresser le hachis de champignons dans des assiettes individuels et y poser les filets.

■ Mettre dans une poêle le beurre et le miel et les faire chauffer rapidement. Napper les filets avec cette sauce et servir aussitôt.

Pour ce repas riche en saveurs un Pouilly-Fumé ou un gewürztraminer alsacien sec conviennent parfaitement.

4 PERSONNES

4 FILETS DE SANDRE

120 G DE SAUMON FUMÉ

À FROID EN TRANCHES

POIVRE BLANC

2 CUIL. À SOUPE DE

CHAPELURE

4 CUIL. À SOUPE DE FARINE

DE BLÉ

BEURRE POUR CUIRE

POUR LE HACHIS DE CHAMPIGNONS

300 G DE CHAMPIGNONS

DE PARIS

4 CUIL. À SOUPE

D'OIGNONS HACHÉS

BEURRE POUR CUIRE

SEL ET POIVRE BLANC

2 CUIL. À SOUPE DE

CRÈME AIGRE

POUR LA SAUCE AU MIEL

2 CUIL. À SOUPE DE BEURRE

1 CUIL. À SOUPE DE MIEL

4 FILETS DE LAVARET (700 G ENVIRON)

SEL ET POIVRE BLANC

3 CUIL. À SOUPE DE BEURRE

3 À 4 CUIL. À SOUPE DE *FINN CRISPS* EN CHAPELURE

1 DL DU COURT-BOUILLON OU VIN BLANC SEC

POUR LA SAUCE À LA BIÈRE

2 CUIL. À SOUPE DE BEURRE

2 CUIL. À SOUPE DE FARINE DE BLÉ

3 DL DE CRÈME

SEL ET POIVRE BLANC

CUMIN HACHÉ AU COUTEAU

1 DL DE BIÈRE

1 DL DE CRÈME FOUETTÉE

LAVARET AUX *FINN CRISPS* ET SAUCE À LA BIÈRE

■ Saler et poivrer les filets de lavaret. Mettre les filets, la peau vers le haut, dans un plat beurré allant au four et les badigeonner de beurre ramolli. Parsemer avec de la chapelure de *finn crisps*. Faire cuire au four à 220 °C entre 10 et 15 minutes.

■ Faire fondre le beurre dans une marmite. Ajouter la farine en remuant bien. Incorporer la crème chaude, le sel, le poivre et le cumin. Laisser cuire pendant 10 minutes à feu doux en remuant constamment. Ajouter la bière et la crème fouettée. Amener à ébullition et servir tout de suite.

■ Disposer les filets sur des assiettes, les entourer de sauce et servir avec de pommes de terre à l'eau.

Boisson : bière blonde de blé ou eau minérale.

FILETS DE PERCHE FARCIS AU RIS ET AUX CHAMPIGNONS

■ Enlever toutes les arêtes des poissons. Saler les filets et les faire frire rapidement dans du beurre. Garder les filets au chaud. Traiter les filets soigneusement pour les conserver entiers.

■ Couper le ris en petits cubes.

■ Pour enlever la matière toxique, faire bouillir les gyromitres à deux reprises dans deux eaux différentes. Faire revenir légèrement les gyromitres, le poireau et le ris dans du beurre. Ajouter la crème et amener à ébullition jusqu'à ce qu'elle épaississe. Saler et poivrer, ajouter l'aneth. Incorporer les crevettes juste avant de servir pour qu'elles ne durcissent pas.

■ Mettre d'abord dans chaque assiette un filet la peau en bas, étaler la farce dessus et couvrir avec un autre filet, le peau en haut. Décorer d'aneth et servir avec des pommes des terres cuites et des légumes.

Boisson conseillée : un riesling d'Alsace sec et très acide.

4 PERSONNES

8 FILETS DE PERCHE DE TAILLE MOYENNE

SEL

100 G DE BEURRE

POUR LA FARCE

150 G DE RIS CUIT

100 G DE GYROMITRES ÉMINCÉS ET PRÉTRAITÉS

1 CUIL. À SOUPE DE POIREAU HACHÉ

30 G DE BEURRE

2 DL DE CRÈME LIQUIDE

SEL ET POIVRE MOULU

ANETH FINEMENT HACHÉ

50 G DE CREVETTES DÉCORTIQUÉES

4 PERSONNES

4 BLANCS DE POULET

400 G DE CHAMPIGNONS DE PARIS

1 POIREAU

50 G DE BEURRE

2 DL DE CRÈME

SEL ET POIVRE

BLANCS DE POULET FARCI AUX CHAMPIGNONS

■ Couper les champignons et hacher le poireau. Les faire cuire dans du beurre sans les dorer et y ajouter la crème. Laisser réduire. Saler et poivrer et laisser refroidir.

Aplatir légèrement les blancs et y faire une incision. Remplir les poches avec la farce aux champignons. Redonner leur forme aux blancs. Frire dans du beurre, saler et poivrer.

■ Servir par exemple avec une purée de tomates.

Boisson conseillée : un bourgogne blanc sec et un peu noisette, de la région de Mâcon par exemple.

TRIO DE MOUTON

■ Cuire les langues dans de l'eau salée. Retirer leurs peaux quand elles sont encore chaudes. Tremper les langues toute de suite dans de l'eau froide.

■ Préparer la sauce au vin. Ajouter au roux le vin, les échalotes et le persil, amener à ébullition et filtrer. Incorporer en dernier, en battant, le beurre froid coupé en petits dés. Faire chauffer sans laisser bouillir après avoir ajouté le beurre.

■ Faire rissoler les côtelettes et les rognons rapidement, de sorte qu'ils restent rose à l'intérieur. Réchauffer les langues dans leur jus de cuisson.

■ Ajouter le romarin à la sauce. Faire une petite nappe de sauce dans des assiettes individuelles et y disposer une côtelette, un rognon et une langue par personne. Servir par exemple avec de la ratatouille.

Un bon vin pour accompagner: un cabernet sauvignon du Penedés ou d'Australie.

4 PERSONNES

4 LANGUES DE MOUTON

EAU, SEL

4 ROGNONS DE MOUTON

4 CÔTELETTES DE MOUTON

POUR LA SAUCE AU VIN

2 DL DE ROUX BRUN

1 DL DE VIN ROUGE

2 ÉCHALOTES

1 BRANCHE DE ROMARIN

1 TIGE DE PERSIL

60 G DE BEURRE SANS SEL

4 PERSONNES	
12 NOISETTES DE FAUX-FILET	5 OEUFS
DE MOUTON (50 G CHACUNE)	4 CUIL. À SOUPE DE CRÈME
BIEN NETTOYÉES	ÉPAISSE
12 PETITES TRANCHES FINES	POIVRE
DE BACON LÉGÈREMENT FUMÉ	UNE PINCÉE DE NOIX
4 BROCHETTES EN BAMBOU	MUSCADE RAPÉ
COURTES	BEURRE FONDU PROPRE
BEURRE POUR CUIRE	POUR CUIRE
SEL ET POIVRE	**POUR LE GRATINÉ AU FÉTA**
	100 G DE FÉTA
POUR LES CRÊPES	100 G DE FROMAGE FRAIS
DE POMMES DE TERRE	2 JAUNES D'OEUF
400 G DE POMMES DE TERRE	1 CUIL. À SOUPE DE CRÈME AIGRE
PELÉES, FARINEUSES	1/4 CUIL. À CAFÉ DE POIVRE
SEL, EAU	NOIR MOULU
4 CUIL. À SOUPE DE FARINE	1 CUIL. À SOUPE DE CIBOULETTE
DE BLÉ	FINEMENT HACHÉE
5 CUIL. À SOUPE DE LAIT	1 CUIL. À SOUPE DE CORIANDRE
	FRAIS HACHÉE

BROCHETTES DE MOUTON ET CRÊPES DE POMMES DE TERRE AU FÉTA

■ Aplatir les noisettes à 1,5 cm d'épaisseur et les barder de bacon. Embrocher les noisettes, trois par pièce.

■ Cuire les pommes de terre dans de l'eau légèrement salée et les réduire en purée encore à chaud, en les passant à la moulinette. Mélanger les farines et le lait bouilli à la purée. Couvrir avec un linge et laisser refroidir complètement.

Mélanger les oeufs un à un et les incorporer soigneusement à la purée. Pour finir, ajouter la crème et assaisonner.

Dans une crêpière, clarifier le beurre et y cuire des crêpes épaisses.

■ Passer au mixeur pour réduire en purée le féta et tous les ingrédients pour le gratin. Disposer cette sauce sur les crêpes et faire gratiner sur le grill du four pour qu'elles prennent une belle couleur dorée.

■ Cuire les noisettes dans une poêle à revêtement anti-adhésif dans un peu de beurre. Saler et poivrer.

■ Disposer dans des assiettes individuelles trois crêpes au féta et trois noisettes de mouton. Servir à part une sauce au vin rouge (p. 21).

Boisson recommandée : un bordeaux étoffé et moyennement développé de la région du Médoc ou un Tignanello de la Toscane.

MÉDAILLONS DE PORC GRATINÉS ET ÉTUVÉE DE POIVRONS

■ Peler les poivrons avec le couteau à pommes de terre, enlever tous les grains et les parties blanches, les couper en morceaux de 3 cm. Faire fondre le beurre dans une casserole et y mettre les poivrons. Couvrir et laisser cuire à feu doux pendant 10 minutes en remuant de temps en temps, jusqu'à ce que les poivrons soient tendres. Ajouter les jus, le sucre et une pincée de sel. Couvrir de nouveau et laisser mijoter à feu doux pendant 20 minutes en remuant de temps à autre. Oter la casserole du feu dès que les poivrons sont cuits.

■ Couper le brie à la fourchette et y mélanger le beurre ramolli, les échalotes, le paprika et le poivre. Beurrer le fond d'une poêle anti-adhésive et y faire dorer les médaillons, en laissant l'intérieur cru. Mettre les médaillons de côté et saler. Faire chauffer le four à 275 °C. Mettre les médaillons sur la plaque du four. Repartir le mélange de brie en quatre portions sur la viande. Faire gratiner les médaillons au four, jusqu'à ce que la surface prenne une belle couleur dorée.

■ Réchauffer l'étuvée de poivrons et servir dans des assiettes individuelles à côté des médaillons.

Boisson conseillée : un beaujolais aromatique et gai ou un Côtes du Rhône moyennement développé.

4 PERSONNES

4 MÉDAILLONS DE FILET PORC SANS GRAISSE (140 G CHACUN)
150 G DE BRIE
1 CUIL. À SOUPE DE BEURRE RAMOLLI
2 ÉCHALOTES TRÈS FINEMENT HACHÉES
1 CUIL. À CAFÉ DE PAPRIKA EN POUDRE
1/4 CUIL. À CAFÉ DE POIVRE NOIR MOULU
BEURRE POUR CUIRE, SEL

L'ÉTUVÉE DE POIVRONS

2 GRANDS POIVRONS ROUGES
1 CUIL. À SOUPE DE BEURRE
3 CUIL. À SOUPE DE JUS D'ORANGE
1 CUIL. À SOUPE DE JUS DE CITRON
1 CUIL. À CAFÉ DE SUCRE ET UN PEU DE SEL

6—8 PERSONNES

POUR LA PÂTE À TARTE

2 OEUFS

200 G DE SUCRE FIN

1 DL DE LAIT

1 DL DE CRÈME LIQUIDE

1 DL DE BEURRE FONDU

2 CUIL. À CAFÉ DE LEVURE CHIMIQUE

4 DL DE FARINE DE BLÉ

POUR LA GARNITURE

0,5 L DE RHUBARBE PELÉE ET COUPÉE EN MORCEAUX

50 G DE BEURRE RAMOLLI

100 G DE SUCRE FIN

1 DL DE FARINE DE BLÉ

TARTE À LA RHUBARBE

■ Faire chauffer le four à 200 °C.

Beurrer légèrement un plat rectangulaire allant au four et au revêtement anti-adhésif, ou poser du papier cuisson sur le fond de la lèchefrite.

Mélanger soigneusement les oeufs et le sucre. Ajouter le lait, la crème et le beurre fondu et bien battre. Mélanger la farine et la levure. Les incorporer au tout et mélanger le temps d'obtenir une pâte lisse. Etaler la pâte dans le plat. Bien répartir les morceaux de rhubarbe sur la pâte. Avec les mains, mélanger et émietter le beurre, le sucre et la farine et les parsemer sur la tarte. Enfourner pendant 20 à 25 minutes.

■ Servir avec une crème fouettée ou une sauce à la vanille.

RHUBARBE AU SIROP DE GRENADINE

■ Eplucher la rhubarbe, la couper obliquement en morceaux de la taille d'une allumette et la mettre dans une marmite peu profonde ou dans un plat allant au four avec couvercle.

Amener l'eau à ébullition et laisser cuire 2 à 3 minutes, ajouter la grenadine et verser le liquide sur la rhubarbe. Couvrir et laisser cuire à feu doux sans remuer jusqu'à ce que la rhubarbe soit tendre. Laisser refroidir. Ne pas cuire la rhubarbe trop longtemps ou à une température trop élevée pour qu'elle conserve sa consistance.

On peut très bien cuire la rhubarbe au four. Faire chauffer le four à 225 °C. Couvrir le plat aussitôt après avoir versé le sirop et l'enfourner. Laisser cuire 6 à 10 minutes et laisser refroidir.

■ Servir avec de la glace à la vanille et décorer l'assiette avec quelques fraises fraîches.

4 PERSONNES

500 à 600 DE JEUNE RHUBARBE
0,5 L D'EAU
200 G DE SUCRE
2 à 3 CUIL. À SOUPE DE GRENADINE

L'ÉTÉ

LA VIE

COMMENCE

LE 1ER JUIN

L'été est une saison vécue d'autant plus intensément par les Finlandais qu'elle est brève. Elle arrive presque toujours de façon inattendue. Un beau matin, vous ouvrez les yeux et vous savez que l'été est de retour. Cela arrive parfois dès le mois de mai.

A la mi-été, le soleil ne se couche plus. Au nord du cercle polaire, il glisse toute la nuit au-dessus de l'horizon. Dans le sud de la Finlande, il disparaît quelques instants pour reprendre ensuite son ascension de plus belle. En Laponie, l'astre solaire tourne dans le ciel pendant soixante-dix jours de suite.

La Saint-Jean est célébrée le week-end qui suit le solstice d'été. Cette fête de la mi-été coïncide avec la nuit la plus claire de l'année. On hisse le drapeau et des dizaines de milliers de feux de la Saint-Jean sont allumés.

On dénombre en Finlande plus de 400 000 cabanons et au moins autant de saunas riverains. Rares sont les bains de vapeur d'où ne retentissent, pendant la gagner en saveur jour après jour. Dans les près, les fraises sauvages tirent le maximum des longues journées d'ensoleillement et accumulent leurs merveilleux aromes.

L'arrivée des pommes de terre nouvelles chez le marchand est toujours un grand événement de l'été et elles prennent de la saveur jour après jour.

LE MEILLEUR POISSON EST CELUI QU'ON ATTRAPE SOI-MÊME OU QU'ON LAISSE FUIR

Un curieux qui s'avisa un jour de tirer au clair le nombre des lacs finlandais arriva au chiffre de 187 888. La Finlande compte 1 100 km de littoral marin et 80 000 îles. La grande majorité des Finlandais s'adonnent dès la prime enfance à la pêche du dimanche, généralement à la ligne.

La perche est le poisson national. C'est l'espèce la plus commune des lacs. Bien qu'on la pêche toute l'année, c'est le poisson d'été par excellence. La perche est douce au palais et d'une rare exquisité.

Les mille manières de la préparer ne font que rendre justice à la chair savoureuse de la perche. Son court-bouillon constitue la base excellente de nombreuses sauces et soupes. La perche est bonne sautée à la poêle, grillée au feu de charbon, fumée ou cuite en soupe. Le poisson en croûte de la province du Savo est lui aussi farci de petites perches.

LE brochet est un poisson de taille assez imposante. La chronique cite le cas d'un brochet femelle qui mesurait 175 cm et pesait 25 kilos mais il est préférable de consommer le brochet quand il pèse entre un et deux kilos.

Le brochet, parfois baptisé le brigand des rivages, est le prédateur le plus avide et quasiment omnivore des eaux finlandaises. Le pêcheur a trouvé un mode de châtiment adapté à ce voyou : le cuire entier au four avec une sauce blanche et des oeufs durs hachés.

On trouve du brochet partout en Finlande, dans les lacs comme dans les îles des golfes de Botnie et de Finlande. Le brochet finlandais s'exporte, comme la perche, vers les pays européens. Sa chair ferme se prête à diverses terrines de poisson. La prochaine fois que vous commanderez, à Bruxelles ou à Lyon, des *Quenelles au gratin*, il se peut qu'on vous serve un brochet pêché en Finlande.

nuit de la Saint-Jean, le sifflement de l'eau venant frapper les pierres incandescentes du sauna et le claquement des branches de bouleau feuillues sur les peaux en transpiration. Pendant ce temps-là, une succulente saucisse en anneau grésille dans le foyer du sauna et le lavaret tout frais sorti du filet et grillé au feu de bois, attend que les convives rejoignent la table de la salle de repos du sauna. Ce sont les grands moments où le Finlandais se sent dans son élément.

LES NUITS BLANCHES FONT DES MIRACLES

Les longues journées d'ensoleillement qui précèdent la Saint-Jean font mûrir rapidement pommes de terre nouvelles, radis, carottes, concombres et tomates du jardin. Les fraises ne font que rougir et

Photo : Asko Hämäläinen/LKA

RENCONTRE DU MOUTON ET DU CHOU

Le mouton finlandais est de bonne qualité. Malheureusement, les Finlandais n'en mangent guère. Si tous se souvenaient de ce qu'est un jeune mouton aux premiers choux de l'été, les éleveurs de mouton n'auraient pas de souci à se faire !

A l'origine, la soupe aux choux ne comportait, comme ingrédients, que du chou frais avec de l'épaule ou de la poitrine de mouton aromatisées de marjolaine et assaisonnées de sel et de poivre de la Jamaïque. La soupe y gagne à ce qu'on ajoute des carottes et du panais.

La ménagère finlandaise a puisé la recette du chou au mouton dans les livres de cuisine de la Suède voisine. En revanche, le hachis de mouton ou la soupe épaisse de mouton (sans choux) passe en Suède pour une spécialité finlandaise. Ce délicieux hachis évoque à son tour l'*irish stew*, mais avec plus de racines potagères.

Tout discours, aussi bref soit-il, à la gloire du mouton, ne peut être conclu sans la mention du gigot de mouton fumé. Le mouton est fumé au sauna selon les règles en vigueur depuis toujours dans l'ouest de la Finlande. On peut acheter du mouton ainsi préparé toute l'année.

DE VERTS PÂTURAGES POUR UN DEMI MILLION DE VACHES LAITIÈRES

Finlande, terre d'élevage. La production laitière et l'élevage des vaches représentent jusqu'aux deux tiers des revenus agricoles.

Les Finlandais boivent tel quel le lait de vache, ou sous forme de fromage, de beurre et de yaourt. Le beurre et l'Emmental de Finlande jouissent d'une solide réputation internationale mais on connaît beaucoup moins le *viili*, ou lait caillé, et le *piimä*, lait fermenté. Faire son propre lait caillé relève, pour le citadin estivant, de l'exploit quand on sait que ce lait ne peut se faire qu'à partir du lait tout chaud sorti du pis de la vache. Après avoir été additionné d'une goutte de crème aigre, le lait doit être versé de préférence dans une mesure en forme de cône au sommet sectionné. Le tout doit fermenter dans un endroit chaud à l'abri des courants d'air. Le *viili* est prêt en vingt-quatre heures.

On le sert bien frais, avec des baies fraîches ou du sucre et de la cannelle. On ajoute généralement au lait caillé du *talkkuna*, mélange d'orge, d'avoine et de petits pois finement moulus. Le tout constitue un met très nutritif. Le lait caillé de fabrication industrielle se prend de nos jours au petit déjeuner ou au goûter. Il existe aussi une variante de viili à base de crème que les Finlandais utilisent beaucoup pour la préparation des sauces pour salade.

FRÉQUENTEZ LES FESTIVALS ! CE SERA L'OCCASION DE DÉCOUVRIR LES CHARMANTS MARCHÉS EN PLEIN AIR

A en juger par le nombre de festivals et autres manifestations organisés chaque année, on pourrait penser que la soif de culture en Finlande est proportionnelle à la longueur des jours. Les manifestations culturelles n'en sont pas moins l'occasion de faire connaissance avec la cuisine des différentes provinces.

En fréquentant les marchés ouverts, on peut se faire une meilleure idée des produits locaux et des spécialités culinaires de la province visitée. C'est à la mi-été que les marchés connaissent la plus grande animation et sont le mieux pourvus en produits de la terre. La place du marché est en outre un lieu idéal pour rencontrer des gens sympathiques.

Il y a longtemps que les marchés en plein air ont été relayés par les supermarchés et autres grandes surfaces pour l'approvisionnement de tous les jours.

C'est peut-être la raison pour laquelle le marché est empreint, pendant les beaux jours, d'une atmosphère si sereine et benoîte.

AQUA VITAE, EAU-DE-VIE À LA FINLANDAISE

Le poète national Johan Ludvig Runeberg déclara un jour qu'on ne sert d'eau-de-vie qu'avec du poisson. Mais il avait le sens pratique : « faute d'un bon poisson à portée de la main, les crêpes feront l'affaire. »

Le monde a changé depuis Runeberg et on lève moins fréquemment, de nos jours, son verre d'eau-de-vie glacée qu'on ne le faisait il y a à peine quelques décennies. La coutume a cependant été réservée pour les grands jours. Tous les prétextes sont bons pour la remettre à l'honneur : trinquer aux premiers arrivages de harengs, aux premiers gyromitres du printemps, à l'ouverture de la saison des écrevisses ou, tout simplement, à la prise d'un beau saumon. Certains affirment même que manger, à Noël, la traditionnelle morue sans boire le schnaps d'usage est une insulte à l'endroit du poisson.

Les schnaps du poète Runeberg, qui remontent à la première moitié du XIXe siècle, étaient le plus souvent des alcools de céréales non aromatisés. La distillation avait été introduite en Finlande cent cinquante ans plus tôt par les soldats russes.

C'est au XIXe siècle que les alcools forts aromatisés prirent progressivement racine en Finlande. L'emploi des épices et des plantes aromatiques avait été essentiellement emprunté à la Suède même si les Danois semblent avoir eu, eux aussi, leur mot à dire. L'orange amère, le cumin, l'anis et le fenouil s'imposèrent peu à peu comme les aromatisants des aliments vendus dans le commerce tandis que les baies et les herbes aromatiques sauvages entraient dans la préparation des plats faits à la maison. On sait que les Français appellent *eau-de-vie* tous les alcools de vin distillés. Les Scandinaves se sont empressés d'adopter cette appellation pour décrire toutes les boissons aromatisées qu'ils distillaient à partir de céréales et qu'on regroupe aujourd'hui sous le nom générique *aquavit*.

Les Finlandais ne sont pas les seuls à prétendre que leur vodka est la meilleure au monde. Les goûts et les couleurs ne se discutent pas mais les alcools de céréales finlandais sont aussi excellents quand ils sont aromatisés. Pour les schnaps aromatisés à la russe, les spécialistes recommandent, au lieu de simple vodka, de l'eau-de-vie *Koskenkorva* qui contient un peu de sucre. On peut adoucir le goût en ajoutant du sirop de sucre (faire bouillir une dose de sucre et autant d'eau, laisser refroidir avant l'emploi).

Les baies et les herbes aromatiques sont trempées dans de l'alcool de 38 à 40 degrés. Le mélange peut être coupé à volonté avec de la vodka ou tout autre alcool naturel moins fort. La boisson doit être mise en réserve plusieurs mois, car l'arome du schnaps s'améliore et s'adoucit avec le temps. Le dépôt qui se forme au fond de la bouteille est filtré avant de servir. Il faut aussi garder à l'esprit que la vodka naturelle est généralement servie glacée tandis que les schnaps aromatisés se boivent de préférence frais, à la même température que le vin blanc.

A votre santé !

LE MYRTE DES MARAIS   MYRICA GALE

■ Arbuste fleurissant en mai dans les marais et dont les feuilles donnent un beau jaune clair au schnaps. Il faut pour une bouteille de vodka deux cents feuilles environ. Après avoir fait macérer pendant une semaine, filtrer la vodka et laisser mûrir deux ou trois mois.

LE MILLE-PERTUIS OU HERBE DE SAINT-JEAN
HYPERICUM MACULATUM

■ Herbe servant au traitement de la goutte et qui fleurit à la mi-été. L'extrait de ses fleurs, d'une beau rouge, exhale un puissant arome.

Prévoir 1 dl de fleurs pour une bouteille de vodka. Laisser macérer pendant une semaine environ puis filtrer. Ce schnaps, hautement aromatisé, peut être dilué.

L'ABSINTHE ARTEMISIA ABSINTHIUM

■ Ancienne plante aromatique bien connue des Egyptiens et utilisée pour le traitement de la malaria et du choléra. Comme l'indique l'appellation latine, l'huile distillée fut jadis utilisée comme essence de l'absinthe malfamée.

■ Il est recommandé de cueillir les plantes au début de l'été, avant la floraison, et de les sécher soigneusement pour en purger l'huile.

5 à 6 branches suffisent pour l'aromatisation d'une bouteille de vodka en 48 heures. La boisson, d'un beau jaune clair, est ensuite filtrée et diluée à volonté.

LE CASSIS RIBES NIGRUM

■ Pour la liqueur de cassis, prévoir un litre de vodka, 3 à 5 dl de baies de cassis fraîchement cueillies et deux feuilles de cassis si l'on veut donner plus d'arome. Laisser macérer de préférence 4 à 6 mois puis filtrer doucement en prenant soin de ne pas écraser les baies de cassis.

■ La liqueur de sorbier se prépare de la même manière. Les baies

LA VODKA SOUBROVKA

■ Mélanger 6 ml de sirop de sucre, 3 branches d'hiérochloé (Hierocloe odorata) à une bouteille d'eau-de-vie *Koskenkorva*. Conserver huit jours à la température ambiante dans un lieu abrité de la lumière. Servir glacé.

LA VODKA AUX CHAMPIGNONS

■ Procéder comme précédemment mais mettre, à la place de l'hiérochloé, plusieurs trompettes de la mort sèches.

LA VODKA AU CITRON

■ Râper une écorce de citron (mais pas jusqu'au blanc). La mélanger à 6 ml de sirop de sucre. Verser dans un litre de vodka Koskenkorva. Laisser macérer une semaine à la température ambiante. Filtrer. Servir froid.

LE SCHNAPS DU MARÉCHAL

■ Le maréchal de Finlande Carl Gustav Mannerheim n'était pas seulement réputé pour ses qualités militaires et politiques, il était aussi un fin gourmet.

La recette a vue le jour au quartier général que tenait, pendant la guerre, le maréchal dans la ville finlandaise de Mikkeli (St-Michel).

■ Le schnaps du Maréchal (qui ne tremblait pas des mains) est servi bien froid et le verre rempli à ras bord.

Il est encore servi au Mikkelin Klubi selon la vieille recette.

mordues par les premiers gels sont trempées dans la vodka pendant un mois. Filtrer et conserver. Enlever le dépôt accumulé dans le fond de la bouteille et allonger au besoin avec de l'eau-de-vie.

LA VODKA AROMATISÉE À LA RUSSE

LA VODKA AU POIVRE

■ Ajouter 6 ml de sirop de sucre, 10 grains de poivre blanc, 10 de poivre noir et 10 de poivre vert dans une bouteille d'eau-de-vie *Koskenkorva*. Mélanger. Conserver huit jours à la température ambiante dans un lieu abrité de la lumière. Servir glacé.

AVENTURE D'ÉTÉ DANS L'ARCHIPEL, DU HARENG À TOUTES LES SAUCES

Elle nous est venue de Suède il y a deux cents ans par la mer. De nos jours, elle quitte chaque soir, à la même heure, Helsinki ou Turku pour retourner à Stockholm.

Nous parlons bien entendu de la *smörgåsbord*, devenue plus tard la table des hors-d'oeuvres finlandaise qui constitue depuis des dizaines années l'attraction principal des bateaux de passa-gers qui font la navette entre la Finlande et la Suède. Ces bateaux, de couleur bleu ou rouge selon leur armateur, ont pris avec le temps la dimension de véritables immeubles d'habi-tation mais la table des hors-d'oeuvres n'a pas changé. L'archi-pel du golfe de Finlande et de la mer d'Åland que ces bateaux traversent est lui aussi immuable. Rares sont, de par le monde, les restaurants en mesure de proposer une meilleure vue pano-ramique.

1.	HARENGS SAUTÉS ET GRILLÉS EN MARINADE
2.	HARENG DU VITRIER
3.	HARENGS DE LA BALTIQUE ASSAISONNÉS
4.	HARENGS FUMÉS
5.	HARENGS DE LA BALTIQUE AU VINAIGRE
6.	HARENGS DE LA BALTIQUE AUX FINES HERBES
7.	« SAUMON » DU CORDONNIER
8.	HARENG À LA CRÈME AIGRE
9.	LAVARET FUMÉ À CHAUD, TRUITE SAUMONÉE ET ANGUILLE
10.	NAGEOIRES DE SAUMON GRILLÉES
11.	TRUITE SAUMONÉE FUMÉE À FROID
12.	LAVARET CRU SALÉ
13.	HARENG À LA RUSSE
14.	SAUCE MOUTARDE

L'ambiance de l'archipel peut être le plus authentiquement vécue sur le pont d'un bateau côtier à voile ou d'une goélette de pêcheur. Par exemple, le Port-Nord de Helsinki héberge toute une petite flotte de ces bateaux à voile remis en état avec amour par leurs nouveaux propriétaires. La plupart d'entre eux peuvent être loués pendant quelques heures ou même pour une journée entière, prêts à accueillir au besoin un groupe de plusieurs dizaines d'amis du hareng.

BRÈVE HOMMAGE
AU HARENG DE LA BALTIQUE

Il est vrai que ce que les Finlandais appellent la table des hors-d'oeuvres offre bien plus que du hareng, mais ce poisson reste néanmoins la pièce maîtresse de tout l'édifice.

A l'origine, toute cette table ne comportait, il est vrai, que différentes préparations de hareng. Nous voisins les Suédois avaient tout lieu de l'appeler la *saltbord,* la table salée. La table était encore plus connue sous le nom de *brännvinsbord,* la table à gnôle, ainsi baptisée parce que l'on plaçait, au milieu de la table une « cantine à alcool » en argent dotée de six robinets. Chaque convive venait y remplir son verre pour mieux faire passer son morceau de hareng. Cette collation tenait lieu de prologue au repas servi à la table d'hôtes.

Bien que le hareng de la Baltique ne soit qu'un petit cousin du hareng de l'Atlantique, il a toujours occupé, sur la table finlandaise, une place bien plus importante que sa propre taille.

Le hareng de la Baltique se prête à toutes les préparations imaginables. Il se plaît, comme le hareng commun, dans toutes sortes de sauces et de marinades à base de vinaigre ou d'assaisonnements variés. On peut le saler cru, le faire mariner dans des préparations à base de vinaigre, le cuire, le griller ou le fumer. On peut en faire des « anchois ».

Le hareng de la Baltique ne coûte pas cher. Ne sont pas si loin de la vérité ceux qui affirment que ce poisson a permis au peuple finlandais de traverser bien des temps difficiles au cours de son histoire. C'est peut-être la raison pour laquelle le hareng de la Baltique n'est pas prisé comme il le mérite pour les grandes occasions. Mais les vieux préjugés sont en train de disparaître.

En faisant preuve d'imagination et en s'inspirant des plats de poissons réputés fins, on peut composer, à partir du hareng de la Baltique, de jolis plats savoureux que les meilleurs restaurants du pays ne craignent plus d'ajouter à leur carte.

HARENG À LA CRÈME AIGRE
DE TERHENIEMI

4 FILETS DE HARENG VIERGE
1 GROS OIGNON
2 À 3 DL DE CRÈME AIGRE
2 CUIL. À SOUPE D'ANETH HACHÉ
POIVRE BLANC MOULU

■ Couper les filets en morceaux de 0,5 cm d'épaisseur et l'oignon en fines tranches. Mettre les filets, l'oignon et la crème aigre dans une verrine en couches superposées en finissant par une couche de crème. Bien refermer la verrine et laisser mariner pendant 24 heures.

LAVARET CRU LÉGÈREMENT SALÉ

4 PERSONNES	POUR LA SAUCE MOUTARDE
2 FILETS DE LAVARET	2,5 DL DE MOUTARDE
1 CUIL. À SOUPE DE GROS SEL	3 CUIL. DE SOUPE DE SUCRE FIN
SUCRE	1 DL DE VINAIGRE DE VIN BLANC
POIVRE BLANC FRAÎCHEMENT MOULU	SEL ET POIVRE BLANC MOULU
ANETH FINEMENT HACHÉ	2 1/2 DL D'HUILE DE MAÏS OU DE
	TOURNESOL

■ Enlever soigneusement les arêtes des filets. Disposer les filets côte-à-côte, la peau vers le bas, dans un plat peu profond et les saupoudrer de tous les assaisonnements.

Couvrir le plat et mettre au réfrigérateur pendant 24 heures.

■ Mélanger la moutarde, le sucre, le vinaigre, le sel et le poivre. Laisser reposer le temps que le sucre fonde. Ajouter l'huile goutte à goutte en battant comme pour la mayonnaise. Conserver dans un récipient fermé.

■ Enlever le sel en excédent et les assaisonnements recouvrant les filets. Couper les filets, avec leur peau, en très fines tranches. Servir accompagné de la sauce moutarde.

HARENG À LA RUSSE

4–6 PERSONNES

| I BETTERAVE ROUGE |
| 100 G DE CONCOMBRES SALÉS |
| I OIGNON |
| 2 OEUFS DURS |
| 400 G DE FILETS DE HARENG DESSALÉS |
| 50 G DE CÂPRES |

■ Couper la betterave rouge, le concombre et l'oignon en petits dés. Couper les filets de hareng en lanières de I cm. Séparer les blancs et les jaunes d'oeuf et les hacher finement au couteau.

■ Disposer les filets coupés au milieu d'un plat de service et les entourer, en groupes distincts, de l'oignon, de la betterave rouge, du concombre, du jaune et blanc d'oeuf et des câpres. Servir accompagné d'une crème aigre onctueuse.

« SAUMON » DU CORDONNIER

I KG DE HARENGS DE LA BALTIQUE SALÉS	**POUR LA MARINADE**
I À 2 OIGNONS FINEMENT HACHÉS	3 DL D'EAU, 3 DL DE SUCRE
QUELQUES BRANCHES D'ANETH	3 DL DE VINAIGRE D'ALCOOL
	2 FEUILLES DE LAURIER
	5 GRAINS DE POIVRE DE LA JAMAÏQUE

■ Faire dessaler les harengs dans de l'eau froide pendant 2 heures.

Nettoyer les harengs et enlever les arêtes. Rouler les harengs sur eux-mêmes la peau vers l'extérieur et les disposer en couches, avec les oignons et l'aneth, dans un moule ou un récipient en verre. Mélanger les ingrédients de la marinade, la faire bouillir puis la laisser refroidir. Verser la marinade sur les harengs et laisser mariner 3 à 4 jours dans un endroit froid.

HARENGS DE LA BALTIQUE À LA TOMATE

10 PERSONNES

1,2 KG DE FILETS DE HARENG DE LA BALTIQUE	2 CUIL. À SOUPE D'HUILE
	1 CUIL. À SOUPE DE VINAIGRE DE VIN BLANC
2 CUIL. À SOUPE DE FLEURS D'ANETH HACHÉE	2 CUIL. À SOUPE DE SUCRE FIN
SEL	12 GRAINS DE POIVRE DE LA JAMAÏQUE
1,5 DL DE PURÉE DE TOMATE	12 GRAINS DE POIVRE BLANC
	1 OIGNON HACHÉ

■ Enduire d'huile un plat à bord bas et allant au four. En parsemer le fond avec la fleur d'aneth hachée. Saler les filets de hareng et les enrouler serrés, la peau vers l'extérieur. Disposer les filets roulés dans le plat.

Mélanger à la purée de tomate, l'huile, le vinaigre, le sucre et une pincée de sel. Ajouter de l'eau jusqu'à rendre le mélange fluide. Verser la sauce à la tomate sur les filets roulés, parsemer le tout avec l'oignon finement haché et assaisonner avec les poivres grossièrement moulus.

Faire cuire au four à 200 °C pendant 25 minutes.

■ Servir immédiatement chaud, ou froid le lendemain.

HARENGS DE LA BALTIQUE SAUTÉS ET GRILLÉS EN MARINADE

I KG DE HARENGS DE LA BALTIQUE ENTIERS ET NETTOYÉS	**POUR LA MARINADE**
SEL ET POIVRE BLANC	I CAROTTE, I OIGNON
2 CUIL. À SOUPE DE CHAPELURE	1,5 DL DE VINAIGRE D'ALCOOL
I CUIL. À SOUPE DE FARINE DE BLÉ	1,5 DL DE SUCRE, 3 DL D'EAU
BEURRE POUR LA CUISSON	10 GRAINS DE POIVRE DE LA JAMAÏQUE
	4 FEUILLES DE LAURIER

■ Passer rapidement les harengs sous l'eau froide et les sécher avec du papier ménager. Saler et poivrer la moitié des harengs. Mélanger la farine et la chapelure. Y rouler soigneusement les harengs. Sauter au beurre dans une poêle. Faire griller le reste des harengs dans une poêle ou sur une plaque très chaude et salée. Disposer les harengs dans deux plats de service différents.

■ Couper la carotte en rondelles et l'oignon en tranches fines. Mettre les ingrédients de la marinade dans une marmite, porter à ébullition, laisser refroidir. Verser la marinade sur les harengs, bien couvrir les plats et laisser mariner au froid pendant 24 heures.

8–10 PERSONNES

1 KG DE FILET DE SAUMON
(PARTIE CENTRALE)
3 CUIL. À SOUPE DE SEL DE MER
1 CUIL. À SOUPE DE SEL FIN
3 CUIL. À SOUPE DE SUCRE FIN
1 DL DE FENOUIL SÉCHÉ
1 DL D'ANETH SÉCHÉ
10 GRAINS DE POIVRE BLANC

POUR LA SAUCE À LA MOUTARDE

2 CUIL. À SOUPE DE
MOUTARDE DE DIJON
2 CUIL. À SOUPE DE
MOUTARDE COMMUNE
2 CUIL. À SOUPE DE SUCRE FIN
2 CUIL. À SOUPE DE VINAIGRE
DE VIN BLANC
2 DL D'HUILE
SEL ET POIVRE BLANC

SAUMON À L'ANETH ET AU FENOUIL ET SAUCE MOUTARDE

■ Enlever toutes les arêtes du filet. Mélanger le sucre et le sel et, séparément, le fenouil et l'aneth. Poser le poisson dans une salière, la peau vers le bas. Frotter tout le poisson avec le mélange sel-sucre et parsemer le mélange fenouil-aneth. Laisser mariner au froid pendant 24 heures.

■ Bien mélanger la moutarde et le sucre dans un bol. Ajouter le vinaigre et, en battant, l'huile goutte à goutte. Saler et poivrer.

■ Retirer le saumon du froid juste avant de servir. Laisser les herbes sur le poisson. Découper le filet préparé en biais.

■ Servir accompagné de la sauce moutarde, de pain noir, de bière et d'un schnaps givré.

BAVAROIS DE TOMATES AU CUMIN

■ Enlever la peau des tomates. Faire une incision en croix sur les tomates et les ébouillanter 10 secondes. Passer les tomates sous l'eau froide, laisser refroidir et peler. Ouvrir les tomates, les épépiner et les hacher.

Faire fondre le beurre, ajouter les échalotes, l'ail et le cumin. Laisser cuire jusqu'à ce que les échalotes soient tendres. Incorporer la purée de tomates et les tomates, couvrir et laisser cuire environ 20 minutes. Passer au mixeur pour obtenir un mélange lisse. Mélanger la sauce tomate et les jaunes d'oeufs et laisser réduire jusqu'à ce que le liquide épaississe. Pendant la cuisson des tomates, tremper les feuilles de gélatine dans de l'eau froide. Ajouter la gélatine aux tomates et laisser refroidir lentement en remuant de temps en temps. Battre la crème aigre et l'incorporer délicatement aux tomates. Repartir le mélange dans des timbales d'environ 1,5 dl, couvrir de film alimentaire et laisser prendre au réfrigérateur.

■ Décorer les bavarois démoulés avec de petites feuilles de salade, des branches d'aneth, de la crème aigre et des câpres.

4-6 PERSONNES

800 G DE TOMATES ROUGES ET MÛRES

2 CUIL. À SOUPE DE BEURRE

50 G D'ÉCHALOTES FINEMENT HACHÉES

1 PETIT GOUSSE D'AIL

1/2 CUIL. À CAFÉ DE CUMIN PILÉ

2 CUIL. À CAFÉ DE PURÉE DE TOMATES

SEL ET POIVRE NOIR FRAÎCHEMENT MOULU

1 À 2 CUIL. À CAFÉ DE SUCRE FIN

2 JAUNES D'OEUF

2 FEUILLES DE GÉLATINE

2 DL DE OU CRÈME AIGRE

FEUILLES DE SALADE VERTE, FEUILLES D'ANETH ET CÂPRES

SOUPE DE PERCHES ET LÉGUMES AU LAIT

6 PERSONNES

POUR LE COURT-BOUILLON

500 G DE PETITES PERCHES

NETTOYÉES, LES BRANCHIES

SÉPARÉES

500 G D'ARÊTES DE PERCHES

1,5 L D'EAU

100 G D'OIGNONS

100 G DE POIREAU

2 BRANCHES DE PERSIL

1 BRANCHE D'ANETH

1/2 FEUILLE DE LAURIER

5 GRAINS DE POIVRE DE LA

JAMAÏQUE

5 GRAINS DE POIVRE BLANC

POUR LA SOUPE AU LÉGUMES

150 G DE FILETS DE PERCHE

7,5 DL DE COURT-BOUILLON

DE PERCHE

50 G D'OIGNONS FINEMENT

HACHÉS

50 G DE PETITS BOUQUETS DE

CHOUX-FLEURS

50 G DE CAROTTES COUPÉES

EN PETITS BÂTONNETS

50 G DE PETITS POIS FRAIS OU

SURGELÉS

SEL DE MER

0,5 L DE LAIT

30 G DE BEURRE

1 CUIL. À SOUPE DE CIBOU-

LETTE FINEMENT HACHÉE

■ Couper les poissons et les branchies en morceaux, les rincer et les mettre dans une marmite. Ajouter l'eau.

Amener vite à ébullition. Réduire le feu et laisser mijoter, écumer la surface.

Ajouter les oignons, les poireaux et les épices. Laisser cuire pendant 25 minutes et filtrer le bouillon. Mesurer 7,5 dl de bouillon, réduire encore s'il en reste.

■ Ajouter au bouillon tous les légumes, saler et laisser cuire. Ajouter les poissons découpés en dés de 2 cm et le lait. Amener à ébullition.

Vérifier l'assaisonnement et ajouter le beurre et l'aneth. Servir aussitôt.

Boisson recommandée : de l'eau minérale ou, éventuellement, un vin blanc demi-sec.

CONSOMMÉ DE PERCHES ET RAVIOLIS AUX ÉCREVISSES

■ Rincer les perches et les mettre dans de l'eau froide à cuire. Ecumer soigneusement la surface. Ajouter les légumes épluchés et hachés puis les épices. Cuire doucement 35 minutes environ. Filtrer le bouillon et laisser refroidir. Mélanger les racines potagères et les blancs d'oeufs et ajouter le bouillon en battant vivement. Porter doucement à ébullition jusqu'à ce que les blancs prennent. Laisser reposer le bouillon un moment et le filtrer dans une mousseline. Couper les morceaux de carotte et de poireau en julienne, les ajouter au bouillon et amener à ébullition.

■ Disposer la farine en fontaine sur un plan de travail, y casser l'oeuf et ajouter l'huile. Mélanger les ingrédients et bien pétrir le tout. Rouler la pâte dans du film alimentaire et laisser reposer une demi-heure. Pour faire la farce, couper les légumes en brunoise. Faire cuire dans du beurre sans laisser dorer. Saler, poivrer et laisser refroidir. Abaisser la pâte, faire deux disques fins et badigeonner d'oeuf. Disposer les légumes sur un des disques en 4 petits tas. Couper les écrevisses et les poser sur les légumes. Couvrir avec le deuxième disque et découper, avec un coupe-pâte, 4 ravioli de 5 cm de côté. Presser les bords des ravioli et laisser cuire dans de l'eau salée environ 3 minutes.

4 PERSONNES

2KG DE PERCHES FRAÎCHES ET NETTOYÉES

2 OIGNONS

2 CAROTTES, 1 POIREAU

1 FEUILLE DE LAURIER, SEL POIVRE BLANC ET NOIRE

1 BRANCHE D'ANETH

POUR CLARIFIER

RACINES POTAGÈRES TRÈS FINEMENT HACHÉES (CAROTTES, OIGNONS, PANAIS)

5 BLANCS D'OEUF

MORCEAU DE POIREAU ET DE CAROTTE

POUR LA PÂTE

100 G DE FARINE DE BLÉ SEMI-FINE

1 OEUF

1 CUIL. À SOUPE D'HUILE

1 OEUF POUR BADIGEONNER

POUR LA FARCE

1 PETITE CAROTTE

1 TRONÇON DE POIREAU

1 MORCEAU DE CÉLERI-RAVE

BEURRE

8 QUEUES D'ÉCREVISSE

SEL ET POIVRE BLANC

12 TRANCHES FINES DE TRUITE DE 50 G, DE MÊME TAILLE

80 G DE BEURRE RAMOLLI

1 CUIL. À CAFÉ DE MOUTARDE FRANÇAISE

20 G DE RAIFORT RAPÉ

QUELQUES GOUTTES DE JUS DE CITRON

POIVRE NOIR FRAÎCHEMENT MOULU

SEL

40 FINES RONDELLES D'UN CONCOMBRE DE PETIT DIAMÈTRE

SEL DE MER

EAU

TRUITE AU CONCOMBRE ET AU RAIFORT

■ Battre le beurre à blanc, y ajouter la moutarde, le raifort, le jus de citron et une pincée de poivre.

Beurrer un plat à bord bas allant au four et en saupoudrer légèrement le fond de sel. Former 4 éventails de trois filets chacun et bien les badigeonner de beurre au raifort.

■ Blanchir pendant 30 secondes les rondelles de concombre dans de l'eau bouillante assaisonnée du sel de mer, passer sous l'eau très froide, égoutter et sécher bien. Les placer régulièrement en écailles sur les éventails de poisson, en commençant par la partie la plus étroite. Ajouter 3 cuillerées à soupe d'eau et couvrir hermétiquement avec une feuille de papier aluminium. Enfourner à 200 °C pendant 8 minutes.

■ Avant de servir, saupoudrer avec un peu de sel de mer. Servir tel quel ou accompagné d'une purée de pommes de terre.

Boisson conseillée : un vin blanc sec et fruité, par exemple un muscadet ou un Fumé Blanc américain.

TOURTE DE SAUMON ET DE PERCHES

■ Laver les épinards et les blanchir 2 minutes dans de l'eau bouillante. Les passer sous l'eau froide et les presser pour enlever l'eau. Faire revenir les oignons dans 80 g de beurre. Ajouter les champignons et laisser cuire jusqu'à réduction du liquide. Ajouter les épinards, chauffer, assaisonner de sel, poivre et muscade. Réserver et laisser refroidir. Couper les perches en dés, saler, poivrer et muscader. Mettre au froid pendant 10 minutes. Passer les dés de poisson au mixeur et y ajouter les blancs d'oeuf un à un. Ajouter lentement la crème en dernier.

■ Beurrer un moule à tarte de 24 à 26 cm de diamètre avec le reste du beurre. Etaler régulièrement, en le pressant, le mélange aux épinards sur le fond du moule. Etaler en couches successives, en appuyant, la moitié de la mousse aux perches, les tranches de saumon salées et poivrées et le reste de la mousse aux perches. Faire chauffer le four à 170 °C. Couvrir le moule avec du papier aluminium. Verser 3 cm d'eau à 70 °C dans un moule plus profond. Poser le moule de la tourte dans le plus grand moule et cuire à bain-marie 50 à 60 minutes. Quand la tourte est prête, la séparer du moule à l'aide d'un couteau et la démouler sur un plat de service. Accompagner la tourte d'une sauce tomate. Servir avec une sauce au vin blanc ou aux écrevisses. Boisson : un vin sec et acide, par exemple un Pouilly-Vinzelles ou un pinot blanc d'Alsace.

500 G DE FILETS DE PERCHE

500 G DE TRANCHES FINES DE SAUMON

600 G D'ÉPINARDS FRAIS OU 300 G D'ÉPINARDS SURGELÉS

EAU

1 OIGNON MOYEN FINEMENT HACHÉ

100 G DE BEURRE

200 G DE CHAMPIGNONS DE PARIS FRAIS, ÉMINCÉS

SEL, POIVRE, MUSCADE

3 BLANCS D'OEUF

4 DL DE CRÈME ÉPAISSE

4 PERSONNES	POUR LA SAUCE DE BETTERAVES ROUGES
700 G DE FILETS DE BROCHET	400 G DE BETTERAVES
2 DL DE CRÈME AIGRE	ROUGES CUITES DANS LEUR
1/2 CUIL. À CAFÉ DE POIVRE	PEAU
NOIR MOULU	2 DL DE VIN BLANC
3 CUIL. À SOUPE DE	2 DL DE COURT-BOUILLON
CHAPELURE	1 CUIL. À SOUPE DE JUS DE
1 CUIL. À SOUPE DE FARINE	CITRON
DE BLÉ	SEL ET POIVRE BLANC
1 CUIL. À SOUPE D'ANETH	1 CUIL. À SOUPE DE BEURRE
HACHÉ	
1/2 CUIL. À CAFÉ DE SEL	

BROCHET MARINÉ À LA CRÈME AIGRE ET SAUCE AUX BETTERAVES ROUGES

■ Sécher les filets avec du papier ménager. Mélanger la crème aigre et le poivre et étendre le mélange sur les deux côtés des filets. Laisser mariner au froid pendant au moins 4 heures.

Mélanger la farine, l'aneth et le sel à la chapelure. Poser les filets dans un plat beurré allant au four et les saupoudrer régulièrement avec le mélange. Faire cuire au four à 200 °C pendant 15 à 20 minutes. Les filets doivent être dorés.

■ Peler et couper les betteraves en petits morceaux. Amener à ébullition le vin, le court-bouillon et le jus de citron. Ajouter les betteraves et ébouillanter de nouveau. Filtrer la sauce soigneusement, saler et poivrer, incorporer le beurre et battre le tout.

■ Faire une petite nappe de sauce dans des assiettes individuelles et y dresser les filets. Décorer avec des branches d'aneth et la ciboulette hachée. Servir accompagné de pommes natrure.

Suggestion de boisson : chardonnay de Bourgogne ou vin blanc de la Rioja.

LAVARET FUMÉ ET SAUCE À LA CIBOULETTE

■ Saler le poisson. Rouler les filets sur eux-mêmes, la peau vers l'extérieur. Les fixer avec une pique en bois ou les piquer sur une brochette. Placer les poissons sur le grill huilé d'une boîte à fumer. Poser, sur le fond de la boîte, des copeaux d'aune, une branche de genièvre et dix grains de genièvre. Faire fumer 10 minutes à feu doux.

Mettre dans une casserole le vinaigre, l'eau, le vin et les échalotes. Faire cuire et réduire la sauce de moitié. Incorporer à la sauce le beurre en petits morceaux et bien battre. Faire chauffer de nouveau sans laisser bouillir. Assaisonner de poivre, sel et jus de citron. Ajouter la crème et finalement la ciboulette hachée.

■ Faire une petite nappe de sauce dans des assiettes individuelles et y dresser les poissons roulés. On peut aussi farcir de légumes les poissons roulés.

On savourera ce plat avec un gewürztraminer d'Alsace ou un pinot gris.

4 PERSONNES

4 FILETS DE LAVARET, ENVIRON 600 G

SEL

HUILE POUR ENDUIRE

SAUCE À LA CIBOULETTE

0,5 DL DE VINAIGRE DE VIN BLANC

0,5 DL D'EAU

1 DL DE VIN BLANC SEC

2 CUIL. À SOUPE D'ÉCHALOTES FINEMENT HACHÉES

100 G DE BEURRE

SEL ET POIVRE

1 CUIL. À CAFÉ DE JUS DE CITRON

2 CUIL. À SOUPE DE CRÈME LIQUIDE

1 BOTTE DE CIBOULETTE

4 PERSONNES

4 BIFTECKS DE BOEUF (180 G

CHACUN ENVIRON)

3 DL DE PAIN DE SEIGLE BRUN

FRAIS ET RÂPÉ

12 GRAINS DE POIVRE NOIR

CONCASSÉS

1 CUIL. À SOUPE DE CIBOU-

LETTE FINEMENT HACHÉE

1 CUIL. À SOUPE DE PERSIL

HACHÉ

1 GOUSSE D'AIL ÉCRASÉE

4 CUIL. À SOUPE DE CRÈME

AIGRE

1 CUIL. À CAFÉ D'ANCHOIS

HACHÉS

SEL ET POIVRE

2 CUIL. À SOUPE DE BEURRE

POUR LA CUISSON

**POUR LE CHOU-RAVE
AU POIVRE NOIR**

400 G DE CHOU-RAVE PELÉ

100 G D'OIGNONS

HACHÉS FIN

EAU

SEL

2 CUIL. À SOUPE DE BEURRE

FOUETTÉ

2 CUIL. À CAFÉ DE POIVRE

NOIR GROSSIÈREMENT MOULU

BIFTECK GRATINÉ AU PAIN DE SEIGLE

■ Mélanger le pain rapé, le poivre, la ciboulette, le persil, l'ail, la crème aigre et les anchois.

Couper le chou-rave en dés de 0,5 cm et le cuire dans de l'eau salée jusqu'à ce qu'il soit presqu'à point. Egoutter et garder au chaud.

■ Saler et poivrer les biftecks. Les faire dorer dans du beurre des deux cotés, sans les cuire à l'intérieur. Retirer la viande de la poêle, laisser refroidir un moment et recouvrir complètement avec le mélange de chapelure. Faire gratiner les biftecks sous le grill du four ou dans la salamandre. Ajouter, juste avant de servir, le beurre fouetté au chou-rave.

■ Dresser les biftecks sur des assiettes individuelles bordés d'un joli tas de chou-rave saupoudré de poivre.

Accompagner d'un Côtes du Rhône rouge ou d'un cabernet sauvignon califor-nien.

RÔTI DE MOUTON ET TOURTE AUX CHOUX

■ Saler et poivrer la viande. Faire dorer le mouton dans du beurre et finir de le cuire au four à 175 °C. Ajouter dans la lèchefrite un filet d'eau pour que le mouton ne sèche pas.

■ Mélanger la levure et le sel à la farine. Ajouter les pommes de terre en purée et le beurre. Mélanger jusqu'à obtenir une pâte lisse et laisser reposer environ 1 heure au froid.

Emincer le chou et l'oignon et les faire cuire au beurre jusqu'à ce qu'ils soient tendres. Assaisonner de sel, de poivre et de thym. Etaler la pâte dans un moule à tourte beurré et y parsemer la farce aux choux. Faire cuire au four à 175 °C entre 1 heure et 1 heure et demi. Après une demi-heure de cuisson, y verser le mélange de crème aigre et d'oeufs.

■ Servir des tranches de mouton avec des portions de tourte et le jus de cuisson du mouton.

Ce plat se marie bien avec un Saint-Emilion ou un Châteauneuf-du-Pape.

4 PERSONNES

600 G DE RÔTI DE MOUTON

SEL ET POIVRE BLANC

1 CUIL. À SOUPE DE BEURRE

EAU

POUR LA TOURTE AUX CHOUX

2 DL DE FARINE DE BLÉ

1 CUIL. À CAFÉ DE LEVURE CHIMIQUE

1 CUIL. À CAFÉ DE SEL

150 G DE POMMES DE TERRES EN PURÉE

120 G DE BEURRE

500 G DE CHOU BLANC

1 OIGNON

1 CUIL. À SOUPE DE BEURRE

SEL ET POIVRE BLANC

THYM

2 DL DE CRÈME AIGRE

2 OEUFS

600 G DE FILET DE PORC

2 BETTERAVES ROUGES

1 L D'EAU

SEL

POIVRE NOIR

1 CUIL. À SOUPE DE VINAIGRE DE VIN ROUGE

2 DL DE CRÈME AIGRE

FILET DE PORC ET SAUCE AUX BETTERAVES ROUGES

■ Laver et éplucher les betteraves. Les faire cuire dans de l'eau légèrement salée. Retirer les betteraves et continuer à cuire pour réduire le liquide de moitié. Ajouter le poivre et le vinaigre. Filtrer, incorporer la crème aigre peu à peu tout en battant constamment. Vérifier l'assaisonnement.

■ Saler et poivrer le porc. Faire dorer la viande dans une poêle et finir la cuisson au four.

■ Faire une petite nappe de sauce dans des assiettes individuelles. Couper le porc en tranches en biais et les dresser sur la sauce. Couper les betteraves cuites et chaudes en petits cubes et en décorer les assiettes. Servir avec des légumes verts à l'étuvée et un petit gratin de pommes de terre.

Boisson au choix : gewüztraminer blanc d'Alsace ou Egri Bikavér rouge hongrois.

RÔTI DE MOUTON « À LA HUCHE »

■ Frotter la surface du mouton avec du gros sel, l'introduire dans un sac en plastique et le laisser au froid pendant deux jours.

Peler et couper les légumes en petits dés. Couper les échalotes en quartiers.

Sécher le mouton et le poivrer. Poser le mouton dans la huche sur un lit de légumes et d'échalotes. Poivrer et faire cuire au four à 150 °C pendant 4 heures. Pour éviter que la huche ne brûle et ne se fende, la faire reposer sur un coussin de lattes saturées d'eau.

■ Servir le rôti et les légumes dans la huche.

Boisson : bordeaux à moitié développé du Médoc.

4–6 PERSONNES
1 RÔTI DE MOUTON DE 1,5 KG
2 DL DE GROS SEL
3 CAROTTES
1 PETIT CHOU-NAVET
10 ÉCHALOTES
10 GRAINS DE POIVRE DE LA JAMAÏQUE
POIVRE BLANC
UNE HUCHE EN BOIS À RÔTIR

100 G DE HALVA

4 JAUNES D'OEUF

0,5 DL DE SUCRE GLACE

1/2 CUIL. À CAFÉ DE SUCRE VANILLÉ

1 CUIL. À SOUPE DE JUS DE CITRON

2 DL DE CRÈME LIQUIDE

PARFAIT DE HALVA

■ Battre les jaunes d'oeufs et le sucre glace. Faire chauffer au bain-marie jusqu'à ce que le mélange épaississe.

Battre le mélange pour le refroidir et y ajouter un à un les autres ingrédients, la crème en dernier. Verser le mélange dans un moule rincé sous l'eau froide et mettre au congélateur pendant toute une nuit.

■ Tremper le moule rapidement dans de l'eau chaude et démouler le parfait dans un plat de service. Accompagner d'une sauce aux fraises (p. 8o).

GELÉE DE FRAISES AU VIN MOUSSEUX

■ Tremper les feuilles de gélatine 10 minutes dans l'eau froide. Amener à ébullition l'eau et le sucre. Bien égoutter les feuilles de gélatine et les faire dissoudre dans le sirop. Verser le vin mousseux sur le liquide. Mélanger délicatement pour éviter que le liquide n'entre en effervescence.

Couper les fraises, les dresser joliment dans de larges coupes à champagne et y verser le liquide tiède. Couvrir et laisser prendre au moins 4 heures au froid.

■ Servir avec une crème glacée ou une Chantilly.

4 PERSONNES

500 G DE FRAISES FRAÎCHES

3 FEUILLES DE GÉLATINE

1 DL D'EAU

1 DL DE SUCRE

2 DL DE VIN MOUSSEUX SUCRÉ

POUR LES TUILES

1 OEUF
_____

0,5 DL DE SUCRE
_____

50 G DE BEURRE FONDU
_____

0,5 DL DE CRÈME LIQUIDE
_____

100 G DE FARINE DE BLÉ
_____

POUR LES FRAISES DES BOIS AU FROMAGE BLANC

160 G DE FRAISES DES BOIS
_____

80 G DE FRAISES SURGELÉES
_____

1 CUIL. À CAFÉ DE JUS DE CITRON
_____

1,5 DL DE SUCRE
_____

250 DE FROMAGE BLANC
_____

1,5 DL DE CRÈME LIQUIDE
_____

TUILES AUX FRAISES DES BOIS ET AU FROMAGE BLANC

■ Battre les oeufs et le sucre. Ajouter le reste des ingrédients pour les tuiles, la farine en dernier. Sur un papier cuisson, former de minces disques d'environ 10 cm de diamètre. Faire cuire au four, près du grill, à 250 °C entre 3 et 4 minutes, jusqu'à ce que les tuiles prennent un peu de couleur. Rouler les tuiles quand elles sont encore chaudes. Les conserver dans un endroit sec jusqu'au moment de servir.

■ Réduire les fraises en purée et y ajouter le jus de citron et le sucre. Réserver un quart de la purée comme sauce.

Mélanger le fromage blanc et la crème fouettée et incorporer la purée de fraises en dernier. Farcir les tuiles avec ce mélange et servir avec la sauce.

SORBETS AUX POMMES ET À LA CANNELLE

■ Mélanger tous les ingrédients du sorbet à la cannelle, à l'exception des blancs d'oeuf et laisser cuire à feu doux pendant 1 heure. Laisser refroidir et y ajouter les blancs bien montés en neige. Verser le mélange dans la sorbetière et tourner pour le faire prendre. Mettre à congeler jusqu'à son utilisation.

■ Mélanger les dés de pommes, le sucre et l'eau. Cuire le tout jusqu'à ce que les pommes soient tendres. Passer au mixeur. Laisser refroidir, ajouter le reste des ingrédients, verser dans la sorbetière et faire prendre.

■ Faire cuire la crème et l'écorce de cannelle. Battre légèrement les jaunes d'oeuf et le sucre, les incorporer à la crème en battant. Faire cuire au bain-marie en tournant constamment. Quand le mélange s'épaissit, retirer du feu, continuer à battre jusqu'à ce qu'il refroidisse et enlever l'écorce de cannelle.

■ Remplir un coupe-pâte avec le sorbet de pommes ainsi obtenu. Retirer le coupe-pâte et y poser une fine galette aux amandes. Dresser, avec une cuillère, le sorbet à la cannelle sur le sorbet aux pommes et servir avec une sauce à la cannelle et aux fraises (p. 80).

 10 PERSONNES

POUR LE SORBET À LA CANNELLE

7 DL DE LAIT

2 ÉCORCES DE CANNELLE

1,5 DL DE SUCRE

1 CUIL. À CAFÉ D'HUILE D'OLIVE

1 BLANC D'OEUF

POUR LE SORBET AUX POMMES

500 G DE POMMES COUPÉES EN PETITS DÉS

200 G DE SUCRE

3 DL D'EAU

1 CUIL. À SOUPE DE JUS DE CITRON

1 BLANC D'OEUF BATTU

0,5 DL DE CALVADOS OU DE VODKA

POUR LA SAUCE À LA CANNELLE

3 DL DE CRÈME POUR LE CAFÉ

1 ÉCORCE DE CANNELLE

4 À 5 JAUNES D'OEUFS

80 G DE SUCRE

LA NUIT

DES

ÉCREVISSES

Le même spectacle recommence chaque année le 21 juillet, à la nuit tombante. Dès l'après-midi, les premiers monstres à pinces ont été attirés hors de leurs repaires. On les a ensuite mis dans de grandes marmites d'eau aromatisées à la fleur d'aneth. Pendant la cuisson, ils se sont débarrassés de leur carapace brune tirant sur le gris pour se parer d'une belle couleur rouge des plus corruptrices. On les laisse refroidir dans leur bouillon. Puis sonne l'heure de la grande cérémonie. La dégustation des écrevisses peut commencer.

Le rituel de la dégustation des écrevisses est enraciné dans des traditions longues et éprouvées. La table est sortie si le temps le permet. Chaque convive est équipé d'une grande serviette qu'il se met autour du cou et d'une pile de serviettes en papier de réserve sur les genoux, sans oublier l'arme petite mais efficace dont il ne se séparera pas de la soirée : le couteau à écrevisses.

Au marché et aux halles, les écrevisses se vendent à la pièce. Pour une dégustation d'écrevisses, il est d'usage de prévoir un nombre défini d'écrevisses par convive. Dix est un chiffre satisfaisant quand les écrevisses sont dégustées en entrée. Le vrai amateur pousse facilement jusqu'à vingt, quitte à laisser à d'autres le soin de s'acquitter du plat chaud.

La cuisson des écrevisses est une opération simple en soi mais qui n'en est pas moins délicate. En plus de l'eau et du gros sel, le court-bouillon nécessite un bouquet de fleurs d'aneth fraîches ainsi qu'un ou deux morceaux de sucre, selon la quantité de crustacés. Le reste relève de la science cabalistique. Les uns ajoutent de la bière, les autres une goutte de vinaigre de vin ou deux gousses d'ail. Mais seule l'accumulation d'années d'expérience garantira le meilleur résultat.

A table ! On suce d'abord les précieux aromes du court-bouillon. On passe ensuite aux parties mobiles du crustacé. Les pinces sont brisées et l'on extrait leur chair avec son couteau à écrevisses. La queue est détachée de la carapace dorsale dont on retire éventuellement le beurre d'écrevisses.

D'un point de vue culinaire, la queue est la partie la plus noble de l'écrevisse. Chez les femelles, cette queue est un peu plus large que chez les mâles. C'est pourquoi le connaisseur jette d'abord son

dévolu sur les écrevisses femelles, laissant le soin aux novices de se rabattre sur les écrevisses mâles aux grosses pinces.

Pour les queues, la table doit être suffisamment pourvue en pain grillé, en aneth haché et en schnaps. La queue décortiquée et nettoyée est prudem-ment dressée sur une tartine de pain beurré que l'on parsème joli-ment d'aneth hachée.

A ce stade de la soi-rée, l'hôte s'arrange pour que les petits ver-res givrés des invités soient remplis d'eau-de-vie, de vodka finlan-daise. Vient alors le moment de trinquer tous ensemble en atta-quant la première écrevisse et en lançant le désormais classique: *Kippis !*

Le même spectacle recommence chaque fois qu'une nouvelle queue d'écrevisse est en piste. Au lieu de schnaps, bière et eau minérale, on peut servir du vin blanc. Ceci est en parfaite conformité avec l'étiquette et il n'est nul-lement interdit de re-joindre le choeur poly-glotte et polyphonique qui entonne des dizai-nes de chansons à boire.

Le plat chaud qui suit la dégustation des écrevisses est géné-ralement léger. On servira par exemple du poisson fumé ou les premières chanterelles sautées de la saison. Au dessert tiennent la vedette les framboises, les fraises et le cassis fraîchement cueillis.

Il n'est pas nécessai-re de jeter les carapaces vides. Si l'on en a encore la force le lendemain, el-les serviront à préparer le court-bouillon d'un excellent consommée ou d'un fond de sauce.

L'AUTOMNE

C'EST À PEINE
SI L'ON REMARQUE
L'ARRIVÉE
DE L'AUTOMNE

Les premiers indices de l'automne peuvent se manifester très tôt, en fait quand l'été semble battre son plein. Les chanterelles qui apparaissent fin juillet sont les signes avant-coureurs de l'approche inexorable du long et morose automne.

Photo : Pauli Nieminen/LKA

Les forêts finlandaises produisent des centaines de variétés de champignons comestibles, dont une trentaine valent la peine d'être ramassées, une dizaine étant mises en vente sur le marché. En plus de la chanterelle sont vendus dans le commerce les cèpes, les lactaires, les trompettes de la mort ainsi que les chanterelles en tube. Une fois nettoyés, ces champignons peuvent être consommés immédiatement, revenus dans du beurre, bouillis pour être congelés ou encore mis en conserve dans de l'eau salée ou une marinade au vinaigre.

Photo : Paavo Merikukka/LKA

Photo : Pauli Nieminen/LKA

jonchaies d'habitude si calmes et où ce ne sont plus que détonations et clapotis. Plus d'un canard termine ainsi sa vie en rôti accommodé d'une choucroute douce ou d'une sauce aux baies d'argousier.

Le canard fait partie de ces gibiers à plume qu'on ne peut savourer, pendant la saison, qu'au restaurant ou à la table d'un ami chasseur. Il ne faut donc pas laisser passer l'occasion.

Après le canard, la perdrix grise, le faisan, le tétras, la poule des neiges et, chez les quadrupèdes, le lièvre, sont autant de nouveaux points de mire.

CASQUETTES ET GILETS ROUGES

Tous ceux qui prennent part à la chasse à l'élan doivent porter une casquette ou une veste rouge non pas pour effrayer l'animal mais pour prévenir les accidents. A l'ouverture de la chasse à l'élan, c'est par centaines que

Photo : Asko Hämäläinen/LKA

se comptent ces casquettes dans les forêts d'automne.

L'élan est le plus prisé de ces gibiers à poil dont la chasse en Finlande nécessite un permis. Ces dernières années, quelque 50.000 permis ont été annuellement délivrés. Quand la saison de chasse bat son plein, les surplus de viande sont tels qu'une partie du gibier finit sur le rayon du boucher et dans la marmite du simple consommateur. Si la viande d'élan est à la vérité plus chère que celle de boeuf, ce sont les morceaux les moins chers que l'on utilise pour préparer les différents ragoûts.

La bonne chasse a incité les professionnels de la cuisine ainsi que les amateurs à expérimenter de nouvelles préparations originelles. Jouissent d'une faveur spéciale les tranches d'élan cru, à la manière du carpaccio italien, et d'autres filets crus plus ou moins salés.

ON NE FAIT PAS QUE DE BONNES CONFITURES AVEC LES BAIES DE L'AUTOMNE

Au bon vieux temps, chaque cuisine offrait le spectacle de ces immenses bassines bouillonnantes où les baies étaient transformées en sirop ou en confiture. Il faut avouer que le congélateur a, de nos jours, largement supplanté la vieille bassine à confiture.

Les Finlandais ont aussi appris à faire d'excellentes liqueurs de baies. Les liqueurs de mûre des marais et de framboise arctique sont connues à l'étranger.

ATTENTION AUX CHASSEURS EMBUSQUÉS DANS LES JONCHAIES

Le 20 août, ouverture de la chasse, annonce des temps troubles pour les canards. Une âcre odeur de poudre s'insinue dans les

Photo : Hannu Huttu/LKA

LES FRUSTRÉS DE LA CHASSE À L'ÉLAN PEUVENT SE RABATTRE SUR LE HARENG DE LA BALTIQUE.

La foire aux harengs de la Baltique attire chaque automne, le long des quais de la Place du Marché de Helsinki, les pêcheurs du littoral du golfe de Finlande qui viennent parfois de très loin pour la circonstance, certains n'hésitant pas à venir du lointain archipel autonome d'Åland.

Les bateaux de pêche alignés le long du quai ou les échoppes de fortune dressées pendant la foire regorgent de harengs de la Baltique préparés pour ainsi dire à toutes les sauces. On peut se les procurer frais, fumés, assaisonnés et mis en conserve dans des tonnelets en bois, préparés dans toutes sortes de marinades, dans de la sauce moutarde, du vinaigre, en roulades etc. Pendant la foire, dans les restaurants, c'est à celui qui proposera le meilleur plat de hareng de l'année.

Comme la foire dure toute une semaine, chacun a amplement le temps de refaire ses stocks une seconde fois.

Les poissonniers du marché exhibent chaque automne un animal bien plus bizarre que le hareng de la Baltique, un poisson faisant penser à une anguille et qui vit dans les fleuves du littoral ouest : le lamproie.

Le lamproie est vendu cuit au feu de charbon ou mariné dans du vinaigre après cuisson. Le lamproie cuit au feu de charbon se consomme de préférence tel quel avec une sauce moutarde forte. Beaucoup l'arrosent avec de l'eau de vie.

UN MORCEAU DE NOTRE PAIN QUOTIDIEN

Le grand respect qu'inspire le pain en Finlande s'explique par les très dures leçons des siècles passés. Les gels nocturnes étaient souvent le triste lot des cultivateurs du Nord et l'on était même parfois contraint d'ajouter de la sciure d'écorce de pin à la farine. Les dernières famines remontent aux années 1867–1868.

La pâte de seigle qu'on a laissée longuement fermenter est à la base du pain finlandais. On le connaît depuis des siècles tant dans l'est que dans l'ouest. La même pâte a pourtant donné des pains bien différents. L'est a découvert très tôt le four pour la préparation de repas quotidien et le pain était également cuit au four pour être mangé le jour même. Dans les parties occidentales du pays, le pain était cuit deux fois par an et séché le long de grandes perches suspendues au plafond de la pièce principale. Ces différences expliquent pourquoi le pain typique de l'est de la Finlande se présente sous la forme de grosses miches rondes et douces tandis que le pain originaire des régions occidentales a la forme de couronnes plates et dures.

A la couronne de seigle de l'ouest de la Finlande, presque aussi dure que du bois, sont apparentés les croustillants *finn crisps* de seigle, le populaire pain demi-dur (*jälkiuunileipä*) qui est cuit longtemps à four modéré et, naturellement, le cracker de seigle emprunté à la Suède. Les influences occidentales sont également à l'origine des pains doux que les visiteurs des archipels du sud et sud-ouest de la Finlande ont sûrement goûtés.

LE LEVAIN, SECRET DU BON PAIN DE SEIGLE

Chaque foyer disposait jadis d'un grand récipient en bois pour préparer la pâte du pain de seigle. Il ne fallait jamais la nettoyer car la vieille pâte restant accrochée à la paroi du récipient servait de levain pour la fermentation de la nouvelle pâte. Ces cuves à pâte sont encore en usage dans des fermes. Dans certaines, la cuve à pain a été «amorcée» il y a plusieurs générations.

De nos jours, le boulanger amateur arrache à la pâte du jour le morceau qui servira de levain à la pâte du lendemain. Le morceau se conserve indéfiniment au congélateur. Si l'on ne dispose pas de levain, on peut faire fermenter la pâte en diluant dans de l'eau bouillie et attiédie de petits morceaux de pain de seigle ou de la farine de pain de seigle mélangée à de la levure. Il faut laisser fermenter un ou deux jours le mélange à la température ambiante et le levain est prêt.

LE PAIN SANS LEVAIN PEUT ÊTRE CUIT SANS FOUR

Le *rieska* est un pain plat fait avec une pâte n'ayant subi aucune fermentation. Ce pain est cuit rapidement à four très chaud ou sur des pierres. On le consomme aussitôt. Le four n'étant pas indispensable pour la cuisson, le *rieska* est un pain que l'on rencontre beaucoup dans l'ouest de la Finlande et en Laponie. Mais ce pain est également cuit depuis longtemps dans les grands fours des régions orientales.

La pâte du *rieska* est composée d'eau, de lait frais ou fermenté et de farine. Les pâtes plus courantes sont faites avec les farines d'orge et de sarrasin auxquelles on peut ajouter, entre autres, de la pomme de terre.

UNE GALETTE DEVENUE UNE VÉRITABLE INSTITUTION NATIONALE

La pirogue carélienne est bien plus qu'une épaisse bouillie de riz garnissant une fine enveloppe de pâte de seigle. Cette galette est, à sa manière, devenue le symbole de toute la culture carélienne, la survivance de la province finlandaise perdue et dont seuls les Finlandais les plus âgés gardent encore le souvenir vivace. Si les réfugiés de la Carélie ont réussi à introduire leur galette dans les autres provinces finlandaises, ceux qui excellent dans l'art de la préparer se font malheureusement de plus en plus rares.

La préparation de la pirogue carélienne tient de l'art. Sinon comment expliquer qu'une simple bouillie de riz ou d'orge ou encore une purée de pomme de terre cuite au four dans une fine enveloppe de pâte de seigle puisse faire autant d'inconditionnels, même quand la galette n'a pas été garnie d'oeufs durs écrasés dans du beurre.

LE PIROGUE CARÉLIENNE ET LE POISSON EN CROÛTE ONT DE NOMBREUX COUSINS

De nombreux parents de la pirogue carélienne sont connus dans la Russie voisine. L'ancêtre du poisson en croûte de la province du Savo, le *kalakukko*, est le poisson en brioche. La distance est courte entre ce pâté de poule typiquement russe (cuit dans une pâte de farine de froment ou de seigle) et le *kalakukko*, un poisson en croûte de seigle. Le seul poisson est remplacé parfois par une farce faite de petits poissons, de perches ou de corégones blancs.

Le pâté de saumon cuit dans une pâte feuilletée, le *coulibiac*, fait naturellement partie de l'élite des pâtés russes. Il a même été introduit autrefois dans la cuisine classique française.

1.	COULIBIAC DE SAUMON
2.	CORÉGONES BLANCS EN CROÛTE DU SAVO
3.	PIROGUES CARÉLIENNES AU RIZ ET À LA POMME DE TERRE
4.	PÂTÉS DE RIZ À LA VIANDE HACHÉE OU AUX OEUFS DURS HACHÉS
5.	MICHE AU MALT
6.	GALETTES D'ORGE
7.	MICHE DE SEIGLE
8.	PAIN DE SEIGLE À LA TERRINE
9.	COURONNE DE PAIN DE SEIGLE BRUN

LE PAIN DE SEIGLE FINLANDAIS

■ Mélanger 2 dl de vieux levain à 1 litre d'eau tiède. Le levain peut être remplacé par une ou deux tranches de pain de seigle émiettées ou 20 g de levure. Additionner 500 g de farine de seigle et laisser fermenter à la température ambiante 24 à 48 heures.

Ajouter à la pâte 2 cuillerées à café de sel et 500 à 700 g de farine de seigle. Pétrir la pâte sur un plan de travail bien fariné ou au multirobot. Diviser la pâte en deux boules aplanies ou la mettre dans des moules à pain.

Laisser lever la pâte sous un linge jusqu'à doublement du volume. Piquer la pâte à la fourchette. Faire cuire dans un four à 230°C entre 1 heure et 1 heure 30. La pâte est à point lorsque sa croûte sonne creux. Recouvrir les pains d'un linge et laisser refroidir avant de servir.

LE *RIESKA* D'ORGE

1 L DE LAIT FERMENTÉ OU ORDINAIRE
2 CUIL. À CAFÉ DE SEL
1 CUIL. À CAFÉ DE SOUDE SI L'ON UTILISE
DU LAIT FERMENTÉ
2 DL DE FARINE DE BLÉ
1 KG DE FARINE D'ORGE

■ Diluer le sel dans le lait fermenté. Mélanger la soude aux farines et pétrir. Etendre la pâte et la couper en fines galettes que l'on pique à la fourchette. Faire cuire au four à 250 °C.

LA MICHE AU MALT

1 L DE LAIT FERMENTÉ
2 MORCEAUX DE LEVURE
3 DL DE MALT
3 DL DE FARINE POUR PETITS PAINS
3 DL DE SON DE BLÉ
10 À 13 DL DE FARINE DE BLÉ
1 CUIL. À SOUPE DE SEL
3 DL DE MÉLASSE

■ Porter le lait fermenté à la température ambiante et y diluer la levure. Malaxer le malt avec précaution. Mélanger tous les ingrédients et laisser lever la pâte 1 h 30 environ. La pâte peut être assez fluide.

Mettre la pâte dans trois moules à pain et faire cuire au four à 175 °C 1 heure 30. Badigeonner les pains de mélasse après 60 minutes de cuisson.

LE COULIBIAC DE SAUMON

4 PERSONNES

300 G DE FILET DE SAUMON ÉMINCÉ

1 DL DE GRUAUX D'ORGE ENTIERS

EAU, SEL

1 GROS OIGNON

100 G DE BEURRE

POIVRE BLANC FRAÎCHEMENT MOULU

400 G DE PÂTE FEUILLETÉE

4 CUIL. À SOUPE D'ANETH

3 OEUFS DURS

OEUF POUR BADIGEONNER

■ Cuire les gruaux dans de l'eau salée une vingtaine de minutes. Passer à la passoire, rincer les gruaux à l'eau froide. Les égoutter jusqu'à ce qu'ils soient secs. Emincer l'oignon et le faire revenir à la poêle dans une cuillerée à soupe de beurre. Faire fondre le reste du beurre et le mélanger à l'orge cuit. Saler et poivrer. Mettre le tout au frais. Abaisser la pâte et la couper en carrés de 35 cm de côté.

Garnir les carrés avec la moitié de la bouillie d'orge en laissant la pâte libre sur une bande de 8 cm à droite, de 15 cm à gauche et de 4 cm aux deux extrémités. Disposer sur la bouillie, en couches superposées, l'oignon, l'aneth, les tranches de saumon et les rondelles d'oeuf dur. Couvrir de bouillie d'orge. Saler et poivrer.

Badigeonner avec de l'oeuf les bandes de pâte libres. Replier la pâte sur la farce en commençant par les extrémités, en pliant ensuite le côté droit et, pour finir, le côté gauche. Badigeonner le pâté avec l'oeuf. Piquer à la fourchette.

Laisser cuire au four à 225 °C pendant une quinzaine de minutes puis à 180–200°Centre 30 à 40 minutes. Si le pâté a tendance a trop brunir en fin de cuisson, le couvrir d'une feuille d'aluminium. ■ Servir chaud avec du beurre fondu et de la crème aigre.

4 PERSONNES

500 G DE FAUX-FILET D'ÉLAN
1 CUIL. À SOUPE DE SEL DE MER
1 CUIL. À CAFÉ DE POIVRE MOULU
4 BRANCHES DE THYM FRAIS
5 BAIES DE GENIÈVRE CONCASSÉES
2 CL DE GIN

POUR LES CHAMPI-GNONS MARINÉS

500 G DE BOLETS OU CHANTERELLES
1 OIGNON
1 PETITE CAROTTE

POUR LA MARINADE

0,5 DL DE VINAIGRE D'ALCOOL
100 G DE SUCRE
3 DL D'EAU
CLOUS DE GIROFLE
6 GRAINS DE POIVRE BLANC
1 FEUILLE DE LAURIER
1 CUIL. À CAFÉ DE SEL

FILET D'ÉLAN CRU ET CHAMPIGNONS MARINÉS

■ Débarrasser le filet de toutes les membranes puis le mettre sur un film alimentaire. Le frotter avec du sel et les autres assaisonnements. Ajouter le gin. Enrouler le filet, en serrant fort, dans le film alimentaire et le laisser reposer au moins 2 jours au réfrigérateur pour que la viande s'imprègne bien des aromes. Retourner de temps en temps pour garantir une imprégnation égale.

■ Mettre les ingrédients de la marinade dans une casserole. Couper en morceaux les champignons nettoyés. Couper l'oignon et les carottes en rondelles. Porter le liquide de la marinade à ébullition. Placer en couches superposées les champignons, l'oignon et la carotte dans un bocal en verre et verser le liquide de marinade sur le tout. Laisser macérer au moins 48 heures.

■ Mettre le filet quelques temps au congélateur avant de servir. Couper la viande froide en fines tranches avec un couteau bien aiguisé. Servir avec les champignons marinés.

(Au besoin, le filet peut être congelé pour une consommation ultérieure).

MOUSSE DE LANGUE DE RENNE ET SAUCE AUX CANNEBERGES ET AU RAIFORT

■ Hacher au multirobot la langue nettoyée et sans peau et y mélanger la sauce venaison. Ajouter le bouillon tiède dans lequel ont été dissoutes les feuilles de gélatine. Ajouter, pour finir, la crème fouettée. Verser dans un saladier que l'on couvrira d'un film alimentaire.

■ Broyer avec précaution les canneberges et y mélanger le sucre. Ajouter le jus d'orange et la moutarde. Passer la gelée à la moulinette et y mélanger le porto. Mélanger enfin les deux préparations en y ajoutant le raifort râpé.

■ Pour servir : former des boules ovales à l'aide d'une cuillère à soupe préalablement trempée dans de l'eau chaude.

6–8 PERSONNES

500 G DE LANGUE DE RENNE FUMÉE ET CUITE

2 DL DE SAUCE VENAISON

1,5 DL DE BOUILLON DE BOEUF

2 FEUILLES DE GÉLATINE

2 DL DE CRÈME LIQUIDE

POUR LA SAUCE AUX CANNEBERGES ET AU RAIFORT

75 G DE CANNEBERGES

0,5 DL DE SUCRE

JUS D'UNE ORANGE

1 CUIL. À CAFÉ DE MOUTARDE DE FRANCE

125 G DE GELÉE DE CANNEBERGES

0,5 DL DE PORTO

0,5 DL DE RAIFORT RAPÉ

4 PERSONNES

500 G DE FILETS DE HARENG DE LA BALTIQUE

2 CUIL. À SOUPE DE VINAIGRE DE VIN BLANC

2 DL D'EAU

1 PETIT OIGNON

2 CUIL. À SOUPE D'ANETH FINEMENT HACHÉ

1 CUIL. À SOUPE DE MOUTARDE DE DIJON

1 CUIL. À SOUPE DE JUS DE CITRON

POIVRE BLANC MOULU

SEL

4 TRANCHES DE PAIN DE MIE DE SEIGLE

BEURRE

4 CUIL. À CAFÉ D'OEUFS DE POISSON POUR DÉCORER

TARTARE DE HARENGS DE LA BALTIQUE

■ Enlever la peau des filets de hareng. Mélanger le vinaigre à de l'eau. Verser ce mélange sur les filets. Laisser mariner au réfrigérateur une trentaine de minutes.

Bien égoutter les filets. Couper transversalement 400 g de filets en très fines tranches. Les autres filets restent entiers.

Hacher l'oignon et l'aneth que l'on mélange ensuite aux harengs coupés en fines tranches. Aromatiser avec de la moutarde et du jus de citron. Concasser le poivre blanc, saler à volonté et bien mélanger.

■ Couper les tranches de pain avec un coupe-pâte circulaire. Beurrer. Remettre le coupe-pâte sur la tranche de pain arrondie. Couvrir la paroi intérieure du coupe-pâte avec des filets de hareng entiers. Farcir le milieu avec le mélange de harengs coupés et d'oignon haché. Retirer le coupe-pâte. Décorer avec une cuillerée d'oeufs de corégone blanc ou de truite saumonée.

SAUMON CRU MARINÉ ET SALADE CHAUDE DE BETTERAVES

■ Mettre le filet de saumon sur du papier cuisson, la peau en bas. Mélanger le poivre blanc, le sucre et le sel et saupoudrer régulièrement toute la surface du saumon. Déposer une tige d'aneth sur le filet qui sera ensuite enroulé, en serrant bien, dans du papier cuisson. Placer dans un endroit froid et laisser mariner pendant 24 heures.

■ Couper les betteraves rouges en petits dés et hacher l'oignon. Amollir au beurre et à feu doux l'oignon haché. Ajouter les betteraves rouges et le raifort rapé. Assaisonner de sel et de poivre blanc. Ajouter la crème aigre. Porter le tout à ébullition.

■ Sortir le saumon du froid, retirer l'assaisonnement et couper le poisson en fines tranches. Servir avec la salade de betteraves rouges.

  Boire avec un Sancerre acide ou un sauvignon blanc du nouveau monde.

8 PERSONNES

1 KG DE FILETS DE SAUMON DE MER SANS ARÊTES

1 CUIL. À CAFÉ DE POIVRE BLANC

2 CUIL. À CAFÉ DE SUCRE

2 CUIL. À CAFÉ DE GROS SEL

BRANCHES D'ANETH

POUR LA SALADE DE BETTERAVES ROUGES

4 BETTERAVES ROUGES MOYENNES AU VINAIGRE

1 OIGNON

1 CUIL. À SOUPE DE BEURRE

1 CUIL. À SOUPE DE RAIFORT RAPÉ

SEL

POIVRE BLANC MOULU

2 CUIL. À SOUPE DE CRÈME AIGRE

12 ÉCREVISSES CUITES

3 CUIL. À SOUPE DE BEURRE

1 OIGNON

2 CUIL. À SOUPE DE PURÉE DE TOMATES

7 DL DE VIN BLANC SEC

7 DL DE COURT-BOUILLON

1 CUIL. À CAFÉ DE THYM SEC

1/4 CUIL. À CAFÉ DE POIVRE DE CAYENNE

1 CUIL. À SOUPE DE FARINE DE BLÉ

SEL

2 DL DE CRÈME

CRÈME D'ÉCREVISSES

■ Décortiquer les écrevisses et mettre de côté la chair de la queue et des pinces. Bien broyer les carapaces. Faire fondre le beurre dans une casserole et y faire revenir les carapaces à feu doux. Ajouter l'oignon haché et la sauce tomate. Laisser encore cuire un instant.

Verser le vin blanc et le court-bouillon dans une casserole. Faire cuire à feu doux pendant 1 heure. Si le temps de cuisson excède l'heure, le bouillon prend un goût d'ammoniac. Assaisonner de thym et de poivre de Cayenne et laisser cuire encore une trentaine de minutes. Passer ce bouillon à la passoire et bien enlever le jus des carapaces. Laisser le bouillon toute une nuit dans un endroit froid.

Recueillir la graisse d'écrevisses qui s'est formée à la surface du bouillon et la faire fondre dans la casserole. Ajouter la farine de blé et faire cuire à feu doux. Mouiller avec le bouillon et cuire sans couvrir jusqu'à réduction d'un tiers du volume par évaporation. Saler la soupe et y mélanger la crème fouettée ainsi que la chair des queues et pinces d'écrevisse.

CRÈME DE TOPINAMBOURS ET TROMPETTES DE LA MORT

■ Eplucher les topinambours, les couper en petits dés et les verser dans du lait.

Couper le blanc de poireau en fines rondelles et hacher l'oignon. Faire fondre le beurre dans une casserole et y cuire quelques minutes, sans les dorer, les dés de topinambours, l'oignon et le poireau. Ajouter la farine. Quand celle-ci a été bien absorbée, ajouter en deux ou trois fois le bouillon de boeuf en remuant bien.

Laisser cuire à feu doux, le couvercle entrouvert, pendant environ 30 minutes. Réduire en purée avec le mixeur. Au besoin, passer à la passoire et assaisonner de sel et de poivre. Ajouter au dernier moment la crème ébouillantée.

■ Verser la crème de topinambours dans des assiettes individuelles. Garnir chaque assiette de deux trompettes de la mort hachées.

4 PERSONNES

500 G DE TOPINAMBOURS

2 DL DE LAIT

1/2 BLANC DE POIREAU

1/2 OIGNON DE TAILLE MOYENNE

60 G DE BEURRE

30 G DE FARINE DE BLÉ

1 L DE BOUILLON DE BOEUF MAIGRE

SEL ET POIVRE

2 DL DE CRÈME

2 TROMPETTES DE LA MORT SÈCHES PAR PERSONNE

4 PERSONNES	POUR LA SAUCE D'OEUFS FUMÉS DE TRUITE SAUMONÉE
2 FILETS DE SANDRE DE 200 G	0,5 DL DE VINAIGRE DE VIN BLANC
4 TRANCHES DE SAUMON DE 200 G	0,5 DL D'EAU
SEL ET POIVRE BLANC	1 DL DE VIN BLANC
20 G DE BEURRE	2 ÉCHALOTES FINEMENT HACHÉES
EAU	100 G DE BEURRE NON SALÉ
	1 CUIL. À SOUPE DE JUS DE CITRON
	POIVRE BLANC FINEMENT MOULU
	120 G D'OEUFS FUMÉS DE TRUITE SAUMONÉE

MÉDAILLONS DE SANDRE ET SAUMON ET SAUCE D'OEUFS DE TRUITE SAUMONÉE

■ Couper les filets de sandre dans le sens de la longueur. Saler et poivrer. Disposer les filets de saumon sur les filets de sandre. Les enrouler en paupiettes. Beurrer 4 coupe-pâte circulaires et le moule allant au four. Disposer les paupiettes de poisson dans les coupe-pâte, les saler et poivrer légèrement. Placer les coupe-pâte dans le moule allant au four. Verser un peu d'eau dans le fond du moule. Couvrir d'une feuille d'aluminium. Faire cuire 10 minutes à 200 °C .

■ Verser dans une petite casserole le vinaigre de vin, l'eau, le vin et l'échalote hachée. Laisser cuire jusqu'à réduction du liquide à un quart de son volume.

Ôter la casserole du feu et ajouter, tout en fouettant, le beurre froid en morceaux. Faire chauffer et assaisonner avec du jus de citron et du poivre blanc. Passer la sauce à la passoire et ajouter les oeufs de truite saumonée. La sauce doit rester chaude mais ne pas cuire.

■ Napper de sauce le fond des assiettes. Retirer les coupe-pâte et poser les paupiettes sur la nappe de sauce.

A servir avec un Pouilly fuissé ou un Chablis.

FILETS DE HARENG DE LA BALTIQUE SAUTÉS

4 PERSONNES

■ Mettre la moitié des filets de hareng de la Baltique sur du papier cuisson, la peau vers le bas. Assaisonner de sel et de poivre. Parsemer les harengs d'aneth ou de ciboulette. Disposer sur chaque filet un autre filet la peau vers le haut. Rouler les paires de filets ainsi formées dans la farine de seigle.

■ Faire revenir chaque côté dans du beurre. Servir aussitôt avec, par exemple, une purée de pommes de terre relevée au poireau haché.

Boisson recommandée : eau minérale ou bière.

32 FILETS DE HARENG DE LA BALTIQUE

SEL ET POIVRE BLANC

ANETH OU CIBOULETTE FINEMENT HACHÉS

FARINE DE SEIGLE

100 G DE BEURRE

4 PERSONNES

4 MORCEAUX DE MOUTON

ENTIÈREMENT NETTOYÉS

120 G DE LARD MAIGRE EN

TRANCHES FINES ET LONGUES

2 CUIL. À SOUPE DE BEURRE

15 G DE CAROTTES

15 G DE CÉLERI-RAVE

15 G D'OIGNONS FINEMENT

HACHÉS

15 G DE CHOUX-NAVETS OU

NAVETS

1/2 GOUSSE D'AIL FINEMENT

HACHÉE

40 DE CHAMPIGNONS DE

PARIS FRAIS

2 CUIL. À SOUPE DE PERSIL

FINEMENT HACHÉ

SEL ET POIVRE

POUR LE GRATIN DE COURGETTES

500 G DE COURGETTES

EAU ET SEL DE MER

2 DL DE CRÈME LIQUIDE

SEL ET POIVRE NOIR MOULU

80 G DE FROMAGE BLEU RAPÉ

GROS

1/2 CUIL. À SOUPE DE BEURRE

FILETS DE MOUTON BARDÉS AU LARD

■ Faire fondre une cuillerée de beurre dans une casserole et laisser cuire à feu doux, sous couvercle, les légumes et l'ail coupés en petits dés, et les champignons finement hachés. Ajouter à la fin le persil, saler, poivrer et laisser refroidir.

■ Faire dorer, dans du beurre, les filets de mouton dans une poêle moyennement chauffée. Saler et poivrer. Laisser refroidir. Le milieu des filets doit rester cru. Inciser des poches longitudinales dans les filets de mouton. Les farcir avec le mélange de légumes. Barder, en serrant bien, les filets farcis de tranches de lard maigre. Les disposer dans un plat beurré allant au four.

■ Couper les courgettes dans le sens de la longueur puis en tranches de 0,5 cm d'épaisseur. Les blanchir 1 minute dans une eau en forte ébullition assaisonnée au sel de mer. Egoutter les courgettes et les remettre dans la casserole avec la crème chaude. Laisser cuire 3 minutes et retirer du feu. Saler, poivrer et ajouter, à la fin, le fromage bleu rapé. Beurrer un plat à bord bas allant au four. Y disposer les courgettes. Faire gratiner sous le grill jusqu'à ce que les courgettes soient dorées.

■ Faire chauffer le four à 250 °C et y cuire les filets de mouton 6 à 8 minutes. Retirer les filets, les mettre dans un plat de service couvert d'aluminium 10 minutes avant de servir. Les garder chauds.

■ Le filet s'accommode bien d'une sauce au vin rouge.

Boisson : un vin rouge espagnol du Penedés ou un shiraz australien.

GALETTES FARCIES AU RENNE

■ Assaisonner le faux-filet de renne de sel et de poivre blanc moulu. Le couper en quatre parts égales. Les dorer au beurre dans une poêle chaude. Laisser refroidir.

■ Mélanger l'oeuf et le lait fermenté à la purée de pommes de terre. Mélanger les farines et les autres éléments secs puis les incorporer à la purée. Pétrir doucement la pâte et l'étendre en une abaisse de 1/2 cm d'épaisseur sur un plan de travail fariné. Enlever toute trace de farine de la pâte.

Envelopper les morceaux de renne dans cette pâte. Badigeonner les extrémités et les jointures avec de l'eau pour assurer la bonne étanchéité des galettes. Badigeonner les galettes avec du lait fermenté. Piquer à la fourchette pour éviter que la pâte ne se déchire pendant la cuisson. Faire cuire au four à 225 °C de 10 à 15 minutes.

Servir avec une sauce venaison et des racines potagères cuites.

Boisson : Médoc ou un cabernet sauvignon du nouveau monde.

4 PERSONNES

600 G DE FAUX-FILET DE RENNE BIEN NETTOYÉ

SEL ET POIVRE BLANC

1 CUIL. À SOUPE DE BEURRE

POUR LA PÂTE DE LA GALETTE

300 G DE POMMES DE TERRE EN PURÉE

1 OEUF

1 DL DE LAIT FERMENTÉ

1 CUIL. À CAFÉ DE SOUDE

1 DL DE FARINE DE SEIGLE

2,5 DL DE FARINE DE BLÉ

1 CUIL. À CAFÉ DE SEL

1 FAUX-FILET DE RENNE DE

500 G

8 TRANCHES DE BACON

SEL ET POIVRE BLANC

POUR LA FARCE

1 PETIT OIGNON FINEMENT

HACHÉ

1 CUIL. À SOUPE DE BEURRE

100 G DE CHANTERELLES

HACHÉES

100 G D'ÉPINARDS FRAIS

SEL ET POIVRE BLANC

FRAÎCHEMENT MOULU

POUR LA SAUCE AU GENIÈVRE

3 DL DE SAUCE BRUNE

2 DL DE VIN ROUGE

10 BAIES DE GENIÈVRE

CONCASSÉES

POUR LA TIMBALE DE CHAMPIGNONS ET POMMES DE TERRE

2 POMMES DE TERRE

100 G DE CHAMPIGNONS

ASSORTIS

1/2 OIGNON

50 G DE BEURRE

SEL ET POIVRE BLANC

1 DL DE CRÈME AIGRE

FILET DE RENNE FARCI AUX ÉPINARDS ET AUX CHANTERELLES

■ Couper le filet dans le sens de la longueur et l'ouvrir comme un livre. Mettre la viande entre deux films alimentaires et la frapper légèrement.

■ Faire cuire l'oignon haché dans du beurre sans le dorer. Ajouter les chanterelles et les épinards blanchis, laisser cuire à l'étuvée et assaisonner au sel et au poivre blanc. Laisser refroidir. Bien étaler la farce sur le filet de renne ouvert. Rouler le filet. Le barder avec les tranches de bacon. Dorer le filet dans une poêle très chaude et assaisonner. Faire cuire au four à 180 °C pendant 6 minutes. Le filet doit garder une belle couleur rouge au milieu.

■ Mélanger les ingrédients de la sauce au genièvre et cuire jusqu'à réduction d'un tiers du liquide. Passer à la passoire et garder chaud.

■ Eplucher et couper les pommes de terre en rondelles. Les disposer en couches, avec le mélange de champignons et d'oignons revenus à la poêle, dans de petites timbales beurrées. Assaisonner au sel et au poivre blanc. Ajouter la crème aigre en dernier. Cuire au four à 180 °C pendant environ 30 minutes.

■ Verser la sauce dans des assiettes. Couper le filet en tranches et les dresser sur la sauce. Servir avec une timbale de champignons et pommes de terre.

Boisson : un Saint-Emilion ou un Brunello di Montalcino de la Toscane.

TOURNEDOS D'ÉLAN ET CHOUCROUTE BRUNE

■ Préparation la veille : nettoyer de ses membranes un morceau de filet de renne bien faisandé (utiliser de préférence le milieu du filet). Mélanger la marinade, la mettre avec la viande dans un sachet en plastique et la laisser mariner 24 heures au frais.

Préparer un fond de gibier avec les os de renne, les restes du nettoyage du filet et les racines potagères. Réduire le fond à 0,5 l environ.

■ Rincer la choucroute et la mettre dans une marmite avec le bacon coupé en petits morceaux. Cuire quelques instants dans du beurre. Ajouter le vin, le fond de gibier, l'eau et les assaisonements. Laisser mijoter 2 heures dans la marmite.

■ Couper le filet mariné en quatre parties égales. Les barder de lard et les attacher avec de la ficelle. Cuire les tournedos à la poêle (le milieu reste rose).

■ Dresser la choucroute dans des assiettes individuelles et y disposer les tournedos.

Boisson conseillée : Côte du Rhône abondant ou vin rouge espagnol du Penedés.

4 PERSONNES

700 G DE FILET D'ÉLAN

160 G DE LARD GRAS COUPÉ

EN TRANCHES FINES

SEL ET POIVRE BLANC

BEURRE POUR LA CUISSON

POUR LA MARINADE

0,5 DL D'HUILE

0,5 DL DE VINAIGRE

BALSAMIQUE

2 BRANCHES DE THYM

1 FEUILLE DE LAURIER

UN PEU DE POIVRE BLANC

CONCASSÉ

POUR LA CHOUCROUTE BRUNE

500 G DE CHOUCROUTE

100 G DE BACON

1 DL DE VIN ROUGE

5 DL DE FOND DE GIBIER

(OS ET RACINES POTAGÈRES)

2 DL D'EAU

20 GRAINS DE CUMIN

6 BAIES DE GENIÈVRE

4 PERSONNES	**POUR LA SAUCE DE BAIES D'ARGOUSIER**
	0,5 DL DE SUCRE
2 CANARDS	0,5 DL DE JUS D'ARGOUSIER
SEL ET POIVRE	1 DL DU JUS DE CUISSON
1 CAROTTE	DU CANARD
1 OIGNON	2 DL DE CRÈME
1 MORCEAU DE CÉLERI-RAVE	
2 DL D'EAU	

CANARD À LA SAUCE DE BAIES D'ARGOUSIER

■ Rincer les canards prêts pour la cuisson, les sécher et les frotter avec les assaisonnements. Brider les canards. Couper en dés les carottes, l'oignon et le morceau de céleri-rave. Disposer les légumes, les ailes et le cou des canards sur le fond d'une terrine. Placer les canards sur le tout, la poitrine vers le haut.

Verser environ 2 dl d'eau dans la terrine. Laisser cuire au four à 180 °C pendant 50 minutes.

Retirer les canards de la terrine et les garder au chaud. Laisser encore cuire le bouillon 15 minutes.

■ Caraméliser le sucre dans une casserole et y ajouter le jus d'argousier. Porter à ébullition. Ajouter, après l'avoir passé, le bouillon de cuisson, puis verser la crème au bout de quelques instants. Laisser épaissir.

■ Désosser les canards, les dresser sur les assiettes et verser la sauce à côté. Servir, par exemple, avec des nouilles décorées d'airelles rouges.

Boisson conseillée : un cabernet sauvignon californien de Napa Valley.

POULE DES NEIGES AVEC GROSEILLES ROUGES ET SALSIFIS

■ Détacher le blanc des poules des neiges et faire un bouillon (4 dl) avec la carcasse. Verser le bouillon et les groseilles rouges dans une casserole et faire cuire jusqu'à ce que le liquide se réduise d'un tiers. Passer le bouillon à la passoire et le lier avec de la fécule délayée dans un doigt d'eau. Saler et poivrer.

Couper les salsifis en morceaux de 0,5 cm d'épaisseur et les faire revenir 5 minutes dans du beurre. Parsemer de farine de blé et bien mélanger le tout. Ajouter la crème et la crème aigre. Cuire 10 minutes à feu doux en remuant de temps en temps. Assaisonner pour finir avec du sel et du poivre blanc.

■ Saler et poivrer les blancs des volailles. Les faire bien revenir de chaque côté puis les cuire au four à 175 °C pendant 5 minutes environ. Laisser reposer sous un linge pendant 5 minutes.

Servir les blancs avec les salsifis et la sauce de groseilles rouges.

Boisson conseillée : un Côte de Beaune ou un merlot californien.

4 PERSONNES

4 POULES DES NEIGES

4 DL DE BOUILLON DE POULE DES NEIGES

1 CUIL. À SOUPE DE BEURRE POUR LA CUISSON

1 DL DE GROSEILLES ROUGES

1 CUIL. À CAFÉ DE FÉCULE D'ORGE

EAU

SEL ET POIVRE BLANC MOULU

400 G DE SALSIFIS ÉPLUCHÉS

2 CUIL. À SOUPE DE BEURRE

1 CUIL. À SOUPE DE FARINE DE BLÉ

1 DL DE CRÈME SIMPLE

0,5 DL DE CRÈME AIGRE

4 PERSONNES

2 CANARDS PRÉPARÉS

1 CAROTTE

1 PANAIS

1 MORCEAU DE CÉLERI-RAVE

1 TRONÇON DE POIREAU

2 CUIL. À SOUPE DE BEURRE

1 CUIL. À CAFÉ DE SEL

POIVRE BLANC

500 G DE CHOUCROUTE

1 OIGNON

1 POMME

1 DL DE MÉLASSE BRUNE

3 DL DE BIÈRE

CANARD ET CHOUCROUTE DOUCE

■ Détacher les cuisses et le blanc des canards. Faire un bouillon avec les carcasses et les racines potagères.

Faire revenir au beurre les cuisses et les blancs dans une poêle très chaude. Assaisonner avec du sel et du poivre blanc.

■ Rincer la choucroute à l'eau froide et égoutter. Hacher l'oignon et le faire revenir dans du beurre sans le dorer. Eplucher la pomme, enlever le coeur et les pépins, la couper en petits dés. Mélanger la choucroute et la pomme à l'oignon haché. Assaisonner avec du sel et du poivre blanc.

Ajouter ensuite au tout la mélasse, la bière et le bouillon de canard de façon à bien couvrir la choucroute. Laisser cuire à feu doux et sans couvrir jusqu'à ce que le liquide se soit entièrement évaporé.

Disposer la moitié de la choucroute sur le fond d'un plat à couvercle allant au four. Y déposer les cuisses et les blancs de canard revenus à la poêle. Recouvrir la viande avec le reste de la choucroute, couvrir le plat et laisser cuire au four à 200 °C pendant 1 heure. Une croûte de farine de blé peut servir de couvercle.

■ Servir, par exemple, avec de petits oignons cuits à la crème.

Boisson conseillée : Côtes du Rhône rouge ou Zinfandel californien.

RAGOÛT DE FAISAN À L'ANETH

■ Détacher la poitrine et les cuisses. Les couper en morceaux de 2 cm.

Couper la carcasse de faisan et les légumes en morceaux de 3 cm. Faire fondre du beurre dans une casserole et y cuire les morceaux à feu doux, sans les dorer, pendant environ 10 minutes. Ajouter dans la casserole la farine, le bouillon, le poivre et le laurier. Laisser cuire 1 heure à feu doux sous le couvercle. Passer la sauce à la passoire et la verser dans une autre casserole. Saler.

Ajouter les morceaux de faisan à la sauce et laisser cuire encore une 1/2 heure. Sucrer et ajouter le jus de citron. Porter de nouveau à ébullition et ajouter l'aneth.

■ Servir avec les légumes de la cuisson et des pommes nature.

Boisson conseillée : bière blonde ou eau minérale.

2 PERSONNES

1 FAISAN DE 750 G

100 G DE CAROTTES ÉPLUCHÉES

50 G DE CÉLERI-RAVE ÉPLUCHÉ

150 G DE POIREAU

50 G DE PANAIS ÉPLUCHÉ

2 CUIL. À SOUPE DE BEURRE

3 CUIL. À SOUPE DE FARINE DE BLÉ

1 L DE BOUILLON CLAIR

15 GRAINS DE POIVRE NOIR

2 FEUILLES DE LAURIER

SEL

1 CUIL. À CAFÉ DE SUCRE

3 CUIL. À SOUPE DE JUS DE CITRON

3 CUIL. À SOUPE D'ANETH FINEMENT HACHÉ

POUR LE BISCUIT ROULÉ

3 OEUFS

1,5 DL DE SUCRE

1 CUIL. À CAFÉ DE LEVURE

CHIMIQUE

0,75 DL DE FARINE DE

POMMES DE TERRE

1 DL DE CONFITURE DE

POMMES

POUR LA FARCE

2 FEUILLES DE GÉLATINE, EAU

1 OEUF

0,75 DL DE SUCRE

2 DL DE LAIT

2 DL DE POMMES COUPÉES EN

PETITS MORCEAUX

2,5 DL DE CRÈME FOUETTÉE

POUR LA SAUCE AUX FRAISES

200 G DE FRAISES CONGELÉES

0,5 DL DE LIQUEUR D'ORANGE

0,5 DL DE SUCRE

CHARLOTTE DE POMMES

■ Battre les oeufs et le sucre en neige. Mélanger la levure chimique à la farine de pommes de terre et ajouter le tout aux oeufs battus en neige en mélangeant doucement. L'étaler sur une plaque à four recouverte de papier cuisson. Faire cuire au four à 200 °C 10 minutes. Badigeonner la pâte cuite d'une fine couche de confiture de pommes et rouler le tout. Laisser le roulé au congélateur 1 heure.

■ Laisser tremper les feuilles de gélatine dans de l'eau froide pendant 20 minutes. Battre les oeufs et le sucre en neige légère. Ajouter ensuite le lait chaud. Faire cuire au bain-marie pendant environ 10 minutes jusqu'à ce que le mélange prenne de la consistance. Sortir la préparation du bain-marie et la battre jusqu'à son complet refroidissement. Sécher les gélatines par pression, les faire fondre dans un peu d'eau et les ajouter au reste. Mélanger les dés de pomme et la crème fouettée.

■ Couper le roulé en tranches de 0,5 cm et en tapisser les parois de 6 petits moules. Remplir les moules avec la farce aux pommes et laisser prendre toute une nuit dans un endroit froid. Avant de servir : mélanger tous les ingrédients de la sauce aux fraises, réduire en purée et passer à la moulinette.

■ Retourner les moules dans des assiettes à dessert et entourer les charlottes d'une nappe de sauce aux fraises.

MOUSSE AUX MÛRES DES MARAIS ET AU YAOURT

■ Laisser tremper les feuilles de gélatine pendant 10 minutes. Bien les égoutter, les faire fondre dans un doigt d'eau. Passer les mûres des marais au mixeur avec l'eau et le sucre. Passer ensuite la purée de mûres des marais à la moulinette.

Passer ensuite le yaourt au mixeur avec la purée de mûres des marais. Bien faire monter en vérifiant si la purée est assez sucrée. Verser la gélatine fondue, faire encore monter énergiquement. Verser le tout dans des coupes de 1 à 1,5 dl.

■ Mélanger le sucre et la purée de mûres des marais. Une fois le sucre absorbé, allonger la purée avec de l'eau jusqu'à ce qu'elle ait la consistance désirée. La sauce doit être assez épaisse.

4 PERSONNES

250 G DE MÛRES DE MARAIS

3 DL DE YAOURT AU NATUREL

4 À 5 FEUILLES DE GÉLATINE

2 À 3 CUIL. À SOUPE D'EAU

75 G DE SUCRE FIN

POUR LA SAUCE AUX MÛRES DES MARAIS

150 G DE PURÉE DE MÛRES DES MARAIS

60 G DE SUCRE

UN PEU D'EAU BOUILLIE ET REFROIDIE

4 À 5 MOULES À SOUFFLÉ

INDIVIDUELS

125 G DE FROMAGE BLANC

UN PEU DE BEURRE

0,75 DL ET 0,5 DL DE SUCRE

2 1/2 CUIL. À SOUPE DE

MAÏZENA

2 CUIL. À SOUPE DE SUCRE

VANILLÉ

ZESTE D'UN DEMI CITRON

1 OEUF

1,5 DL DE LAIT

POUR LA SAUCE AUX MÛRES DES MARAIS

400 G DE MÛRES DES MARAIS

150 G DE SUCRE

4 CUIL. À SOUPE DE LIQUEUR

DE MÛRES DES MARAIS

SOUFFLÉ AU FROMAGE BLANC ET SAUCE AUX MÛRES DES MARAIS

■ Bien beurrer 4–5 moules à soufflé. Mélanger le fromage blanc, les 0,75 dl de sucre, la maïzena, le sucre vanillé, le zeste de citron, un jaune d'oeuf et le lait.

Battre le blanc d'oeuf et 0,5 dl de sucre en neige ferme. Ajouter le fromage blanc en mélangeant avec précaution. Faire cuire au four à 180 °C pendant 20 minutes environ.

■ Passer les mûres des marais au mixeur puis à la moulinette.

Ajouter le sucre et la liqueur à cette purée. Pour obtenir la consistance souhaitée, mouiller avec de l'eau bouillie puis refroidie.

■ Servir dans les moules de cuisson.

Gelée de baies d'argousier au chocolat blanc

■ Tremper les feuilles de gélatine une dizaine de minutes dans de l'eau froide. Mélanger le jus de baies d'argousier, l'eau et le sucre. Porter à ébullition et mettre de côté. Ajouter les feuilles de gélatine bien essorées. Verser le liquide dans un moule, mettre au réfrigérateur et laisser prendre.

■ Faire fondre le chocolat blanc lentement au bain-marie. Faire tremper les feuilles de gélatine une dizaine de minutes dans de l'eau froide. Battre la crème en une mousse souple et battre les oeufs en neige. Bien essorer les feuilles de gélatine. Les mettre dans une petite casserole avec le rhum et la liqueur. Attendre qu'elles fondent. Mettre la casserole de côté. Mélanger doucement les oeufs en neige avec le chocolat. Incorporer le mélange alcool-gélatine. Bien mélanger le tout. Ajouter pour finir la crème Chantilly. Verser le tout sur la gelée. Bien étaler. Couvrir d'un film plastique et mettre au réfrigérateur pendant au moins 4 heures. Avant de servir, détacher les bords avec un petit couteau. Tremper un moment le fond du moule dans de l'eau chaude et renverser la gelée sur un plat de service.

■ Servir tel quel ou bien garni de baies ou d'autres fruits.

8–10 PERSONNES

POUR LA GELÉE DE BAIES D'ARGOUSIER :

1 DL DE JUS DE BAIES D'ARGOUSIER

1 1/2 FEUILLE DE GÉLATINE

0,5 L D'EAU

60 G DE SUCRE FIN

POUR LA GARNITURE DE CHOCOLAT BLANC

200 G DE CHOCOLAT BLANC

3 FEUILLES DE GÉLATINE

5 DL DE CRÈME LIQUIDE

2 OEUFS

3 CUIL. À CAFÉ DE RHUM

3 CUIL. À CAFÉ DE LIQUEUR

TRIPLE SEC

LES SAVEURS

INOUBLIABLES DE

LA CUISINE FAMILIALE

Simple, la cuisine familiale finlandaise n'en est pas moins bonne et nutritive. C'est avec ses qualités qu'elle reste à jamais gravée dans nos esprits. Qui pourrait oublier la saveur du *lihakeitto*, le potage à la viande que préparait maman, ou des *kaalikääryleet*, les feuilles de chou farcies chères à grand-maman, préparations auprès desquelles le *Soufflé de homard à l'américaine* fait figure de composition un peu artificielle. Nous sommes, n'est-ce pas, de cet avis, quel que soit l'endroit de la terre qui nous a vus naître, quelles qu'en soient les coutumes culinaires.

■ Tremper pendant 1 heure le foie de lotte dans une grande quantité d'eau froide. Faire cuire le foie 10 à 15 minutes dans de l'eau assaisonnée avec du sel marin. Laisser reposer dans son bouillon.

Couper la tête et toutes les nageoires de la lotte. Les mettre dans de l'eau froide avec du gros sel. Porter à ébullition et écumer. Ajouter au court-bouillon la moitié des oignons émincés, le poivre et le laurier. Laisser mijoter pendant 15 minutes.

Nos voisins suédois appellent leur cuisine familiale *husmanskost*, nom qui désignait jadis le repas servi aux domestiques. L'influence de la Suède apparaît dans de nombreux plats familiaux finlandais, la Finlande ayant fait partie de la couronne suédoise jusqu'au début du XIXe siècle. De nombreuses recettes culinaires de la Russie ont aussi été adoptées au fil des siècles et font dorénavant partie de notre patrimoine culinaire national.

Ce qui frappe le plus dans la cuisine finlandaise, c'est son internationalisme doublé d'une admirable capacité d'intégration des apports venus d'autres cieux. Sans ces contributions étrangères, notre table quotidienne serait bien plus terne. Ces apports ont permis à la culture culinaire que l'on considère « bien de chez nous » de traverser les époques en conservant sa vitalité. Nous ne citerons pour exemple que les feuilles de chou farcies mentionnés plus haut. Cette recette nous vient de Turquie avec, avouons-le, un petit coup de pouce de la Suède voisine.

SOUPE DE LOTTE

4−6 PERSONNES		
	1 OU 2 OIGNONS	
	8 GRAINS DE POIVRE DE LA JAMAÏQUE	
1 LOTTE DE 1 KG SANS SA PEAU,	1 FEUILLE DE LAURIER	
AVEC SON FOIE ET SES OEUFS	400 G DE POMMES DE TERRE ÉPLUCHÉES	
1 L D'EAU	60 G DE BEURRE	
SEL DE MER	(ANETH)	

Couper la lotte transversalement en morceaux de 5 cm d'épaisseur. Les incorporer au court-bouillon. Ajouter de l'eau si nécessaire. Laisser cuire au point d'ébullition pendant 10 minutes ou jusqu'à cuisson complète du poisson. Retirer la casserole du feu et laisser refroidir 10 minutes environ. Ne pas remuer. Pêcher les morceaux de lotte avec une écumoire. Passer le bouillon au tamis.

Enlever toutes les arêtes et diviser la chair en petits boules avec une cuillère à soupe. Vérifier le sel.

Ajouter au bouillon les pommes de terres coupés en dés de 1,5 cm. Laisser cuire. Ajouter au dernier moment les boules de lotte. Amener à ébullition et ajouter le beurre.

■ Couper le foie en tranches et le dresser sur les assiettes. Verser la soupe sur les tranches de foie. Parsemer d'oignon cru et éventuellement d'aneth haché.

SOUPE DE LAVARET DU SATAKUNTA

4 PERSONNES	6 DL D'EAU
	SEL DE MER
1 LAVARET DE 1,2 KG	8 GRAINS DE POIVRE DE LA JAMAÏQUE
600 G DE POMMES DE TERRE	2 FEUILLES DE LAURIER
1 OIGNON	50 G DE BEURRE
	1 CUIL. À SOUPE D'ANETH

■ Mettre dans une casserole les pommes de terre coupées en quartiers et l'oignon coupé en morceaux. Ajouter l'eau et le sel.

Couper transversalement un lavaret nettoyé et écaillé en tranches de 2 cm d'épaisseur. Poser les tranches sur les pommes de terre.

Amener doucement à ébullition. Ecumer la surface. Ajouter les assaisonnements. Laisser cuire doucement pendant 1 heure environ. Ajouter pour finir le beurre et l'aneth haché.

■ Servir de préférence dans la casserole de cuisson. Cette soupe est traditionnellement servie avec du pain de seigle.

SOUPE AUX PETITS POIS SECS
ET PETITES BRIOCHES DE MARDI GRAS

4 PERSONNES	**4** PERSONNES
3 DL DE PETITS POIS SECS	4 PETITES BRIOCHES RONDES
1,5 L D'EAU	PÂTE D'AMANDES
500 G DE POITRINE DE PORC	3 DL DE CRÈME FOUETTÉE
1 À 2 CUIL. À CAFÉ DE SEL	8 DL DE LAIT

■ Bien rincer les petits pois secs sous l'eau froide. Les verser dans une casserole. Ajouter de l'eau. Laisser tremper toute une nuit.

Faire bouillir les petits pois dans leur eau de trempage. Ajouter la viande coupée en morceaux d'environ 3 cm. Ajouter le sel et cuire à feu doux pendant au moins 3 h. Allonger au besoin.

■ Couper à l'horizontale la partie supérieure des brioches. Creuser l'intérieur, le mouiller d'un peu de lait. Farcir les brioches avec de la pâte d'amandes et de la crème fouettée. Remettre le « chapeau ».
■ Servir avec du lait chaud.

Pour la farce, la pâte d'amandes peut être remplacée par de la confiture de fraise. Dans ce cas, les brioches sont généralement servies avec du café.

CORÉGONES BLANCS AU FOUR

4 PERSONNES	25 G DE BEURRE
1 KG DE CORÉGONES BLANCS	1 CUIL. À CAFÉ DE SEL, 5 DL D'EAU
1 POIREAU	10 GRAINS DE POIVRE BLANC
85 G DE LARD MAIGRE EN TRANCHES	2 FEUILLES DE LAURIER

■ Les goujons conviennent aussi à la préparation de ce plat. Nettoyer les corégones blancs sans les étêter. Couper le poireau en rondelles et, tranversalement, les tranches de lard maigre en lanières. Sauter celles-ci rapidement à la poêle. Beurrer un plat allant au four. Y disposer en couches les corégones blancs et le mélange de poireau et de lard maigre. Saupoudrer chaque couche d'un peu de sel. Verser enfin l'eau et ajouter le poivre et le laurier. Faire cuire 1 heure dans un four à 175 °C.
■ Servir avec de la purée de pommes de terre.

BROCHET POCHÉ ET SAUCE AUX OEUFS

4 PERSONNES	POUR LA SAUCE AUX OEUFS
	40 G DE BEURRE
1 BROCHET DE 1,3 À 1,5 KG	40 G DE FARINE DE BLÉ
EAU ET GROS SEL	0,5 L DE LAIT
1 OIGNON FINEMENT COUPÉ EN	1 DL DU COURT-BOUILLON DU BROCHET
RONDELLES	SEL ET POIVRE BLANC FRAÎCHEMENT
1 CAROTTE FINEMENT COUPÉE EN	MOULU
RONDELLES	100 G D'OEUFS DURS FINEMENT HACHÉS
LA PARTIE VERTE ÉMINCÉE D'UN POIREAU	4 CUIL. À SOUPE D'ANETH FINEMENT
1 FEUILLE DE LAURIER	HACHÉ
5 GRAINS DE POIVRE DE LA JAMAÏQUE	
5 GRAINS DE POIVRE BLANC	

■ Ecailler le brochet, le nettoyer et le rincer sous l'eau. L'étêter et couper la queue. Le diviser en quatre morceaux de taille égale. Mettre dans une casserole les morceaux, la tête (préalablement bien lavée et sans les branchies) et la queue. Couvrir les morceaux avec de l'eau. Saler. Porter à ébullition et écumer. Ajouter les légumes, l'oignon, la feuille de laurier et le poivre. Amener à ébullition, laisser frémir 15 à 20 minutes jusqu'à cuisson complète.
■ Faire fondre le beurre, ajouter la farine, laisser cuire 2 minutes.

Le roux doit rester blond. Ajouter le lait chaud en deux fois et fouetter jusqu'à ce que la sauce soit lisse. Ajouter au dernier moment le court-bouillon passé à la passoire. Laisser cuire la sauce à feu doux pendant 10 minutes. Assaisonner de sel et de poivre.

Additionner à la sauce le hachis d'oeufs durs et l'aneth. Faire chauffer. Allonger au besoin avec le court-bouillon. Retirer les morceaux de brochet du court-bouillon. Bien égoutter avant de servir.
■ Servir avec des pommes nature.

BRÈME AU FOUR

4 PERSONNES

1 BRÈME DE 1,5 KG

SEL ET POIVRE

3 BRANCHES D'ANETH

1 DL DE MIE DE PAIN RÂPÉE OU DE CHAPELURE

2 DL DE CRÈME

60 G DE BEURRE

■ Ecailler et nettoyer la brème. Rincer et sécher avec du papier absorbant.

Frotter l'extérieur et l'intérieur du poisson avec du sel et du poivre. Disposer les branches d'aneth à l'intérieur.

Râper la mie de pain. Disposer la brème dans un plat beurré allant au four. Faire sur la chair de jolis entailles. Napper le poisson de crème et le parsemer de la mie râpée. Déposer ensuite des coquilles de beurre sur la mie pour dorer la surface du poisson pendant la cuisson.

Faire cuire au four à 170 °C. Badigeonner de beurre pendant la cuisson. Le poisson est à point quand sa surface a joliment bruni et que la crème s'est épaissie.

■ Servir à chaud dans le plat de cuisson.

POMMES DE TERRE AUX HARENGS DE LA BALTIQUE

PAR CONVIVE

200 G DE HARENGS DE LA BALTIQUE SALÉS ET NON PARÉS

EAU

2 GRANDES POMMES DE TERRE NON-ÉPLUCHÉES

1/4 OIGNON COUPÉ EN FINES RONDELLES

3 GRAINS DE POIVRE DE LA JAMAÏQUE

■ Tremper les harengs dans une grande quantité d'eau froide pendant 24 heures. Couper les pommes de terre en deux, les mettre dans la casserole et les couvrir d'eau. Recouvrir entièrement les pommes de terre avec les rondelles d'oignon, le poivre et les harengs. Refermer le couvercle et cuire jusqu'à ce que les pommes de terre soient à point.

■ Egoutter et servir dans la casserole. Servir avec du beurre, une sauce Béchamel ou une sauce blanche aux oignons.

CRÊPES AU SANG

4 PERSONNES		1 PETIT FILET D'ANCHOIS
		UN PEU DE MARJOLAINE
2,5 DL DE SANG		POIVRE BLANC ET DE LA JAMAÏQUE
1 PETIT OIGNON FINEMENT HACHÉ		MOULUS
BEURRE		SEL
100 G DE LARD GRAS COUPÉ EN		BEURRE FONDU CLAIRIFIÉ POUR LA
PETITS DÉS		CUISSON
2,5 DL DE FARINE DE SEIGLE		**POUR LES AIRELLES ROUGES**
1,5 DL DE FARINE DE BLÉ		**PILONNÉES**
2 OEUFS		200 G D'AIRELLES ROUGES
2,5 DL DE BIÈRE LÉGÈRE		50 À 60 G DE SUCRE FIN

■ Pilonner les airelles rouges et bien y mélanger le sucre avec une cuillère en bois ou un pilon.

■ Faire revenir l'oignon haché dans un peu de beurre. Mettre de côté. Cuire les dés de lard gras dans une poêle de sorte que la graisse se détache sans brunir. Mettre de côté et laisser refroidir à la température ambiante. Passer le sang à la passoire. Y additionner, sans cesser de fouetter, les farines, les oeufs, la bière légère, le filet d'anchois coupé en petits morceaux, les assaisonnements, l'oignon, le lard et sa graisse. Ajouter le sel au dernier moment. Laisser reposer la pâte 1 heure avant la cuisson.

Avant de commencer la cuisson, remuer une dernière fois la pâte. Les crêpes croustillantes sont cuites à la poêle dans du beurre clarifié.

■ Servir avec le beurre fondu et des airelles rouges pilonnées.

GRATIN DE PURÉE DE FOIE ET RIZ

6 PERSONNES		50 G DE BEURRE
		SEL ET POIVRE BLANC MOULU
0,5 L D'EAU		MARJOLAINE
SEL		UNE PINCÉE DE POIVRE DE LA JAMAÏQUE
2 DL DE RIZ POUR RIZ AU LAIT		8 DL DE LAIT ENVIRON
0,5 L DE LAIT		1 OEUF
		3 CUIL. À SOUPE DE MÉLASSE
400 G DE FOIE DE PORC OU DE BOEUF		2 DL DE RAISINS SECS
1 OIGNON		

Porter l'eau salée à ébullition, ajouter le riz et laisser cuire.

Lorsque le riz commence à épaissir, verser peu à peu tout le lait jusqu'à ce que la bouillie soit presque à point. Laisser cuire 20 à 25 minutes. Mettre de côté.

Faire cuire l'oignon haché dans un peu de beurre et le mélanger à la bouillie de riz. Ajouter l'assaisonnement, le lait froid, l'oeuf battu, le foie haché, la mélasse et les raisins secs. Vérifier l'assaisonnement.

Beurrer un plat allant au four suffisamment grand. Y verser la préparation. Faire cuire au four à 180 °C pendant 1 heure 30 environ. Servir le gratin avec du beurre fondu et des airelles rouges pilonnées (voir recette plus haut)

FEUILLES DE CHOU FARCIES

6 PERSONNES	DU CHOU
	1 DL DE RIZ RÉDUIT EN BOUILLIE
1 CHOU PETIT OU MOYEN	2 OEUFS
EAU	SEL, POIVRE BLANC ET DE LA JAMAÏQUE
SEL	MOULUS
400 G DE VIANDE HACHÉE DE PORC ET DE	UNE PINCÉE DE MARJOLAINE
BOEUF	1,5 DL DE CRÈME ENVIRON
1 PETIT OIGNON HACHÉ	MÉLASSE ET BEURRE FONDU
1 DL DE FEUILLES HACHÉES DE L'INTÉRIEUR	UN PEU DE BOUILLON DE BOEUF

■ Retirer le trongnon du chou ainsi que les feuilles extérieures. Faire cuire dans de l'eau salée. Retirer les feuilles une à une dès qu'elles sont à point. Eviter qu'elles ne cuisent trop. Les égoutter et aplanir les côtes.

■ Mélanger la viande hachée, l'oignon cuit, le chou cru ciselé, le riz, les oeufs, l'assaisonnement et la crème. La farce doit rester fluide. Etaler les feuilles de chou sur la table et les garnir de 50 g de farce. Rouler en « coussins » les feuilles de chou farcies et les poser bien serrées dans un plat allant au four préalablement beurré. Badigeonner les feuilles de chou farcies de mélasse et de beurre fondu. Commencer la cuisson au four à 250°C. Quand les feuilles de chou ont pris une belle couleur brune, les retourner. Les badigeonner légèrement, de l'autre coté, de mélasse et de beurre fondu et laisser dorer l'autre coté. Retourner, ajouter un peu de bouillon de boeuf et couvrir hermétiquement de papier alumi-nium. Laisser cuire doucement au moins 1 heure au four à 130°C, le temps qu'il faut pour donner leur succulence aux choux farcis.

■ Servir avec des pommes nature, le liquide de cuisson ou du beurre fondu, et des airelles rouges pilonnées et sucrées (p. 88).

BOULETTES D'ÉLAN

4 PERSONNES	BEURRE
	1 GRAND OIGNON FINEMENT HACHÉ
400 G DE VIANDE HACHÉE D'ÉLAN	SEL ET POIVRE BLANC
200 G DE VIANDE DE PORC	1 BRANCHE DE THYM FRAIS
GRASSE ET HACHÉE	
1 OEUF	**POUR LA SAUCE**
1 DL DE CRÈME LIQUIDE	2 DL DE BON FOND DE GIBIER
0,5 DL D'EAU	2 DL DE CRÈME LIQUIDE
50 G DE MIE DE PAIN BLANC	1 CUIL. À SOUPE DE BEURRE MANIÉ

■ Mélanger les viandes hachées, incorporer l'oeuf, la crème, le pain imbibé, d'eau et l'oignon cuit dans du beurre (mais non doré). Saler, poivrer et ajouter un peu d'eau au besoin. Ajouter en dernier les feuilles de thym (sans queue). Vérifier l'assaisonnement et faire un essai de cuisson avec une petite boulette.

Faire les boulettes. Les dorer dans du beurre.

■ Amener à ébullition le fond de gibier et la crème en laissant réduire un peu. Ajouter le beurre manié et laisser cuire jusqu'à épaississement de la sauce.

■ Servir accompagné d'une purée de pommes de terre et des airelles rouges pilonnées et sucrées (p. 88).

RAGOÛT DE PORC FINLANDAIS

6 PERSONNES

1 KG DE CÔTES DE PORC DÉSOSSÉES
3 OIGNONS, ENVIRON 400 G
1 CUIL. À SOUPE DE BEURRE
1 DL DE FARINE DE BLÉ, 1 L D'EAU
6 GRAINS DE POIVRE DE LA JAMAÏQUE CONCASSÉS
SEL

■ Couper les côtes de porc désossées en tranches de 10 cm de long.

Les faire revenir à feu très chaud à la poêle. Les passer au tamis et conserver toute la graisse dans une casserole. Faire revenir en dernier les oignons émincés.

Ajouter le beurre et la farine dans la graisse de la casserole. Faire cuire la farine à feu doux jusqu'à ce qu'elle prenne une belle couleur dorée. Ajouter les oignons revenus à la poêle, l'eau et les assaisonnements.

■ Laisser mijoter 2 heures à feu doux. Servir avec de la purée de pommes de terre et des rondelles de concombres salés.

SIROP DE MYRTILLES

4 PERSONNES

1 L DE MYRTILLES FRAÎCHES
1 L D'EAU
1,5 DL DE SUCRE
2 CUIL. À SOUPE DE FÉCULE DE POMMES DE TERRE

■ Faire cuire les myrtilles dans de l'eau jusqu'à ce qu'elles aient rendu tous leurs aromes. Passer la bouillie à la passoire.

Ajouter le sucre à la bouillie et lier avec la fécule de pommes de terre délayée dans un peu d'eau.

■ Amener le sirop à ébullition. Servir froid ou chaud.

PORRIDGE D'ORGE ET SIROP DE RAISINS

4 PERSONNES

POUR LE PORRIDGE D'ORGE :	SIROP DE RAISINS :
2 DL DE GRUAUX D'ORGE ENTIERS	1 PAQUET (250 G) DE RAISINS SECS
2 L DE LAIT	1 DL DE SUCRE
1 CUIL. À CAFÉ DE SEL	1 DL D'EAU
50 G DE BEURRE	2 CUIL. À SOUPE DE FÉCULE DE POMMES DE TERRE

■ Verser un peu d'eau dans une casserole et y faire tremper toute la nuit les gruaux d'orge.

Poser la casserole sur le feu et ajouter le premier litre de lait. Amener à ébullition en remuant constamment. Ajouter le deuxième litre de lait et continuer à cuire. Le porridge gagne à être cuit longtemps. Un bon résultat demande au moins 3 heures de cuisson.

On peut aussi cuire le porridge au four, à feu doux. Quand le porridge est presque prêt, ajouter le sel et le beurre.

■ Verser dans une casserole 1 l d'eau et y tremper les raisins secs pendant au moins 3 heures.

Mettre la casserole au feu, amener à ébullition et ajouter le sucre.

Délayer la fécule de pommes de terre dans un peu d'eau et lier la bouillie en mélangeant soigneusement.

■ Servir tel quel chaud ou froid, avec le porridge d'orge très chaud.

FROMAGE DE PREMIER LAIT AU FOUR

4 PERSONNES

1 L DE PREMIER LAIT
1 CUIL. À CAFÉ DE BEURRE
1/2 CUIL. À CAFÉ DE SEL
CANNELLE EN POUDRE ET SUCRE

■ Beurrer un moule à four de 1,5 l de contenance. Saler le lait. Verser le lait dans le moule et cuire au four à 200 °C de 35 à 40 minutes.

■ Saupoudrer de cannelle et de sucre et servir.

L'HIVER

L'HIVER
S'INSTALLE TÔT
AU PAYS DE LA
POULE DES NEIGES
ET DU RENNE

Les premières neiges couvrent dès le mois d'octobre les montagnes du nord de la Finlande. En général, le pays se retrouve pour longtemps sous la neige dès novembre, au plus tard au mois de décembre.

Changer son plumage est, par conséquent, une question de vie ou de mort pour la poule des neiges, peut-être le plus prisé et le plus savoureux de nos oiseaux sauvages. La poule des neiges n'est pas un met que l'on sert tous les jours, même dans sa contrée d'origine. Dans le nord du pays, la population de ce gibier n'est cessé de décroître et la pause de pièges dans une couche d'un mètre de neige et par - 30 °C demande autant de persévérance que de patience. L'hiver, la poule des neiges est généralement vendue dans le commerce en produit congelé. Ce gibier à plume a la rare particularité de se congeler lui-même car, pris au piège et mort de froid, il gèle sur le champ. Ainsi protégée par son plumage, la poule des neiges peut facilement se conserver au congélateur

Photo : Hannu Hautala / LKA

grande partie pour cette raison que la chair de renne possède la fine saveur des gibiers.

Photo : Hannu Hautala / LKA

De nos jours, le renne est abattu avant d'avoir atteint la première année car c'est à cet âge que sa chair est la plus tendre et la plus belle. La réputation de la viande de renne fumée à froid, fierté des éleveurs de rennes de Laponie, n'est plus à faire à l'étranger. Ce plat rivalise en renommée avec *l'émincé de renne à la lapone*, lequel est servi avec de la purée de pommes de terre et des airelles rouges pilonnées.

Si vous comptez des chasseurs inconditionnels au nombre de vos amis, vous aurez peut-être un jour le privilège de goûter un vrai ragoût de lièvre mariné dans du lait fermenté comme on le fait encore chez nous.

Il fut un temps où le lièvre était répandu sur l'ensemble du territoire. La chasse de subsistance étant tombée en désuétude, le lièvre a quasiment disparu de la table finlandaise. Aussi doit-on se réjouir que les meilleurs restaurants le mettent parfois au menu.

Les soupes riches en légumes, en viande et en saucisses, consommées seules ou, le plus souvent, accompagnées de pain, sont des plats traditionnellement servis l'hiver, de même que les soupes de poissons souvent faites au lait.

La soupe de pois secs occupe une place tout-à-fait à part dans la culture culinaire finlandaise. Elle a été le carburant de nombreuses générations d'appelés sous les drapeaux. Il est difficile d'imaginer la moindre manifestation sportive hivernale, la moindre fête populaire sans la « popote militaire ambulante » remplie de soupe de pois secs.

Après avoir bu sa soupe de pois secs, on apprécie généralement les desserts eux aussi consacrés par la coutume. Le Mardi Gras, ce sera une brioche fourrée à la pâte d'amandes (p. 85) et à la crème fouettée qu'on accompagne d'un lait chaud. En semaine, plus précisément le jeudi, la soupe de pois secs fait en général office de plat principal qu'on fait suivre d'une crêpe ou d'un pancake.

pendant plusieurs mois. L'oiseau n'est plumé et vidé qu'au moment de sa préparation.

Fine, la viande de la poule des neiges exhale une forte odeur de gibier, aussi faut-il bien prendre garde de ne pas trop l'assaisonner. La poule des neiges cuit rapidement et sa saveur atteint la perfection quand la viande est encore d'un beau rose.

Si un concours était organisé pour le titre de meilleur animal domestique, nul doute que le renne viendrait en tête, indépendamment du fait qu'il s'agit d'un drôle de croisement de gibier et d'animal domestique.

A la différence des autres animaux domestiques, le renne a la liberté de paître toute l'année en quête de nourriture. C'est en

SOUS LA GLACE RÔDE UN POISSON DONT LA LAIDEUR N'A D'ÉGAL QUE LA CURIOSITÉ

Le Finlandais savent vite repérer la lotte. C'est par excellence le poisson de saison des lacs finlandais. Pour la pêcher, la meilleure période est janvier et février. La lotte, qui pèse en général deux kilogrammes au moins, ne se distingue pas vraiment par sa beauté. Visqueux, verdâtre ou d'un brun jaune à l'état naturel, la lotte peut être aujourd'hui achetée toute parée chez le poissonnier, ce qui a naturellement contribué à la popularité croissante de ce succulent poisson.

La lotte se prête aux préparations ordinaires traditionnelles, à la composition de soupe ou aux hachis. Sur le littoral occidentale de la Finlande, la soupe de lotte est liée avec de la crème ou du lait. Dans les régions frontalières de l'Est, on additionne au court-bouillon de la farine de seigle diluée dans de l'eau et de l'oignon cru coupé en petits morceaux.

Le foie et les oeufs de lotte sont très recherchés des gourmets. Le foie sert le plus souvent de complément au hachis de lotte. Il est aussi d'usage de le consommer avec des oeufs de lotte et des blinis.

L a pêche hivernale est très diversifiée. Pendant cette période sont généralement à l'honneur le sandre, la perche, le lavaret sans compter la truite saumonée et le saumon. Le hareng de la Baltique et le corégone blanc apparaissent aussi sur la table finlandaise au plus fort de l'hiver.

La pêche hivernale est un travail bien dur pour ceux qui en vivent mais pour les dizaines de milliers qui s'y adonnent par plaisir, il s'agit à la fois d'un passe-temps frisant parfois la passion et d'un mode de détente incomparable pour qui aspire au calme de la nature. Les parties de pêche les plus décevantes n'ont jamais dissuadé le vrai pêcheur d'arpenter, un dimanche après l'autre, les étendues aquatiques gelées, forant ici et là, à l'aide d'un long vilebrequin, de petits trous au bord desquels il s'installe des heures durant avec sa ligne.

POUR LA FINE BOUCHE

Les Finlandais ont leur propre caviar qu'ils appellent *mäti*. Ces oeufs de poisson sont moins chers que le caviar mais beaucoup vous diront que le *mäti* vaut ou surpasse même les meilleurs caviars russes. Les oeufs de poisson sont le plat de saison par excellence. La saison du *mäti* est inaugurée par les oeufs de lotte.

En janvier et en février, les oeufs de lotte et leur accompagnement figurent au menu de tous les restaurants dignes de ce nom.

Les oeufs de lotte, de petit gabarit, sont difficiles à séparer des membranes voisines et des veines, ce qui explique leur cherté. Mais si l'on veut bien se donner la peine de nettoyer soi-même une lotte achetée entière au marché, on peut s'offrir le luxe, en entrée, d'oeufs de lotte pour le seul prix du poisson entier. Avant de se

temps des tsars, les grandes familles princières de Saint-Pétersbourg avaient coutume de les faire venir de Finlande.

Les oeufs de truite saumonée sont vendus toute l'année. La modestie de leur prix explique que les oeufs de truite saumonée font à présent partie de l'alimentation ordinaire des Finlandais : ils sont servis tels quels ou pour l'assaisonnement des sauces. Ils trouvent aussi bien leur place dans la sauce d'asperges printanière que sur la table de Noël.

L'automne est la saison des oeufs de corégone blanc et de lavaret. Les oeufs de corégone blanc, souvent baptisés caviar finlandais, arrivent, de l'avis de nombreux connaisseurs, au palmarès de tous les oeufs de poisson. On les apprécie chaque jour davantage, même au delà des eaux territoriales. Les oeufs du corégone de lac sont d'un orange tirant sur le rouge tandis que les oeufs des corégones de mer sont plus claires et font penser aux oeufs de lavaret. On les sert légèrement salés comme les oeufs de lotte.

Les puristes dégustent les oeufs de poisson, qu'il s'agisse de lotte, de corégone blanchâtre, de lavaret ou de truite arc-en-ciel, avec beaucoup d'oignon haché fin et de la crème aigre rendue fluide. Le foie de lotte, cuit et coupé en morceaux, et l'aneth haché sont les compléments idéaux des oeufs de lotte. Ceux-ci ayant un goût laiteux, beaucoup recommandent de les accompagner d'une crème fouettée à la place de la crème aigre. Les oeufs de poisson se mangent avec des blinis, petites crêpes de farine de sarrasin ou de blé, ou avec des toasts grillés.

« Quand on a fait sauter les blinis dans les règles de l'art, ils sont légers, croustillants et d'un joli brun. Imbibé comme un champignon de beurre fondu et de crème aigre, le blinis n'en devient que plus succulent et reluisant. »

Ainsi parlait, non sans une pointe de poésie, un grand connaisseur des vrais blinis russes. Cela mérite bien d'être arrosé d'un bon verre de vodka bien givré (p. 31–33).

mettre à table, il est recommandé de congeler les oeufs de lotte pour détruire les éventuels cestodes. Plus d'un gourmet condamne cette méthode et préfère prendre le risque et déguster les oeufs de lotte frais et légèrement salés.

La période des oeufs de grémille et de hareng de la Baltique, moins connue, vient plus tard, vers le printemps. Les oeufs de grémille ont été recherchés de longue date. On raconte qu'au

200 G DE RENNE FUMÉ À FROID

3 FEUILLES DE GÉLATINE

EAU

100 G DE *FINN CRISPS*

3 DL DE BOUILLON DE BOEUF

3 DL DE CRÈME LIQUIDE

2 DL DE CRÈME AIGRE

3 CUIL. À SOUPE DE PERSIL HACHÉS

2 CUIL. À CAFÉ DE MOUTARDE

1/2 CUIL. À CAFÉ DE POIVRE BLANC MOULU

TOURTE DE RENNE FUMÉ

■ Tremper d'abord les feuilles de gélatine dans de l'eau froide pendant une demi-heure environ. Mouiller les *finn crisps* dans 2 dl de bouillon de boeuf. Fouetter la crème liquide et la crème aigre. Couper la viande de renne en petits cubes ou la hacher.

Essorer les feuilles de gélatine et les dissoudre dans 1 dl de bouillon de boeuf très chaud. Laisser refroidir.

Mélanger à la crème fouettée le persil, la moutarde, le poivre, les cubes de renne et le bouillon de boeuf.

Chemiser avec des *finn crisps* un moule à manque de 20 cm de diamètre. Y verser le mélange de viande de renne fumé et laisser prendre une douzaine d'heures au réfrigérateur.

■ Servir avec une salade verte.

PETITS CONCOMBRES SALÉS, BEURRE DE MIEL ET CRÈME AIGRE

■ Fouetter la crème aigre et la disposer sur les assiettes. Couper les cornichons en quartiers dans le sens de la longueur.

Faire fondre le beurre dans la poêle, ajouter les quartiers de concombres et les chauffer à feu doux.

Mettre les concombres dans des assiettes et ajouter le miel dans la poêle. Chauffer jusqu'à ce que le miel soit entièrement fondu.

■ Arroser les concombres avec le beurre de miel et servir immédiatement.

Il est de bon ton d'accompagner cette entrée aux influences russes d'un petit verre givré de vodka nature.

4 PERSONNES

4 PETITS CONCOMBRES SALÉS

3 CUIL. À SOUPE DE CRÈME AIGRE

3 CUIL. À SOUPE DE BEURRE

3 CUIL. À SOUPE DE MIEL

10 PERSONNES

POUR LA PÂTE

2,5 À 3 DL D'EAU

10 G DE LEVURE

SEL

300 G DE FARINE DE BLÉ

100 G DE FARINE DE GRAHAM

100 G DE PURÉE DE POMMES

DE TERRE

POUR LA GARNITURE

60 G DE RIZ

POUR RIZ AU LAIT

0,5 L DE LAIT

SEL

1 CUIL. À SOUPE DE BEURRE

POUR LE BEURRE DE BASILIC

80 G DE BEURRE À LA

TEMPÉRATURE AMBIANTE

16 FEUILLES DE BASILIC

FINEMENT COUPÉES

QUELQUES GOUTTES DE JUS DE

CITRON

POIVRE NOIR FRAÎCHEMENT

MOULU

SEL (SI LE BEURRE N'EST PAS

SALÉ)

FROMAGE DE CHÈVRE

N'UTILISER QUE DU FROMAGE

DE CHÈVRE ROND ET

FRANÇAIS, RIBLAIRE DU

POITOU PAR EXEMPLE.

GALETTE DE RIZ AU FROMAGE DE CHÈVRE

■ Délayer la levure dans l'eau tiède, ajouter le sel, les farines et la purée de pommes de terre. Couvrir d'un linge et laisser reposer la pâte à la température de la pièce pendant une heure environ. Mettre le riz dans une passoire et le rincer abondamment à l'eau courante. Secouer énergiquement pour ôter l'eau. Faire bouillir 2 dl de lait, ajouter le riz et laisser épaissir le tout sans cesser de remuer. Ajouter encore 2 dl de lait et laisser épaissir tout en remuant. Ajouter le reste du lait ainsi que le sel et le beurre. Cuire encore jusqu'à ce que le riz au lait soit fluide. Retirer du feu et laisser refroidir. Temps de cuisson : environ 25 minutes.

■ Pétrir la pâte et l'étaler en une mince abaisse. Laisser reposer 5 à 10 minutes et découper dans la pâte des disques de 10 cm de diamètre et les disposer sur du papier cuisson recouvrant la tôle du four. Malaxer le riz au lait et l'étaler en une couche mince sur les disques de pâte. Cuire au four à 250 °C pendant une quinzaine de minutes jusqu'à ce que le bord des disques commence à dorer.

■ Battre le beurre jusqu'à le rendre clair, ajouter le basilic, le jus de citron, le poivre noir (éventuellement du sel). Enduire les disques de beurre de basilic, couvrir d'une tranche de fromage de chèvre, gratiner dans le grill du four ou la salamandre jusqu'à ce que la surface du fromage prenne de la couleur.

■ Servir par exemple avec du saumon fumé à froid ou une petite salade.

Avec du saumon, la galette de riz peut être servie avec un vin blanc gewürz-traminer; servie seule, avec de l'eau minérale ou un Saumur blanc.

LOTTE ET LÉGUMES À LA SAUCE D'ARGOUSIER

■ Nettoyer les filets de lotte, en enlever toutes les arêtes, les couper en tranches épaisses. Saler et poivrer les tranches de lotte, les mettre dans un moule avec les tiges de coriandre. Verser 3 cuil. à soupe d'eau dans le moule. Couvrir d'une feuille d'aluminium. Cuire au four à 220°C (5 minutes si le moule est métallique, 8 minutes s'il est en porcelaine). Retirer le moule du four. Laisser encore reposer les tranches de poisson sous la feuille d'aluminium pendant 4 minutes. Laisser refroidir.

Couper en fines rondelles obliques les carottes et les tiges de brocoli. Laver soigneusement le poireau fendu en deux et le couper aussi obliquement en tranches de 1 cm. Cuire le tout séparément dans de l'eau avec du sel de mer. Le refroidir à l'eau froide. Bien égoutter.

■ Verser le sucre et un soupçon de sel et de poivre dans le jus de baies d'argousier. Y verser l'huile de colza en tournant vigoureusement. Y mélanger enfin doucement le lait caillé crémeux (pour que la sauce n'épaississe pas).

■ Avant de servir : décorer chaque assiette d'un lit de feuilles de salade. Mettre les tranches de lotte, les rondelles de légumes et les feuilles de coriandre dans un grand saladier. Verser la sauce sur le tout et mélanger doucement. Disposer pour finir le mélange sur les lits de salade.

Un vin blanc demi sec acide gewürztraminer complète bien le goût combiné de la lotte et de la baie d'argousier.

4–6 PERSONNES

500 G DE FILETS DE LOTTE

SEL ET POIVRE DU MOULIN

3 OU 4 TIGES DE CORIANDRE,
LES FEUILLES ENLEVÉES

3 CUIL. À SOUPE D'EAU

100 G DE PETITES CAROTTES
ÉPLUCHÉES

100 G DE BRANCHES DE
BROCOLI ÉPLUCHÉES

70 G DE POIREAU

SEL DE MER

ASSORTIMENT DE FEUILLES DE
SALADE

**POUR LA SAUCE AUX
BAIES D'ARGOUSIER**

2 1/2 CUIL. À SOUPE DE JUS
D'ARGOUSIER NON SUCRÉ

1 CUIL. À CAFÉ DE SUCRE FIN

SEL ET POIVRE

3 CUIL. À SOUPE D'HUILE DE
COLZA

6 CUIL. À SOUPE DE LAIT
CAILLÉ CRÉMEUX

600 G DE CÉLERI

1 L D'EAU

1 CUIL. À CAFÉ DE SEL

2 DL DE CRÈME

NOIX MUSCADE

3 DL DE CHAMPAGNE SEC

UNE PINCÉE DE POIVRE BLANC

2 DL DE CRÈME FOUETTÉE

CRÈME DE CÉLERI AU CHAMPAGNE

■ Eplucher et couper le céleri en petits cubes. Cuire dans de l'eau salée.

Passer le céleri au mixeur. Remettre dans la casserole, ajouter la crème et y râper un peu de noix muscade.

Porter à ébullition quelques instants, ajouter le champagne sans cesser de fouetter.

■ Ajouter le poivre et vérifier le sel. Verser dans des coupes individuelles allant au four. Garnir avec la crème fouettée. Gratiner au four jusqu'à l'apparition d'une belle couleur dorée à la surface.

SOUPE DE POMMES DE TERRE AU FENOUIL ET CRÈME AIGRE À L'AIL

■ Couper l'oignon et le fenouil en très fines tranches et les faire cuire pendant 5 minutes, sans les laisser brunir, à feu doux dans 2 cuillerées à soupe d'huile d'olive.

Ajouter le court-bouillon, les pommes de terre coupées en cubes, le laurier, l'anis étoilé et un peu de sel de mer. Faire mijoter, le couvercle légèrement entrouvert, pendant 20 à 30 minutes.

Retirer le laurier et l'anis étoilé. Passer le tout au mixeur. Reverser dans la marmite, chauffer et poivrer à la Cayenne.

Verser 2 cuillerées à soupe d'huile d'olive et les gousses d'ails pressées dans la crème aigre.

■ Poser la crème aigre assaisonnée dans des assiettes à soupe chaudes puis verser la soupe. Remuer doucement avec une fourchette pour marbrer la soupe. Garnir avec des feuilles de fenouil finement hachées.

Servir avec un rosé sec espagnol ou de Provence.

4 PERSONNES

200 G DE FENOUIL FRAIS ET NETTOYÉ

1 PETIT OIGNON

4 CUIL. À SOUPE D'HUILE D'OLIVES VERTES

1 LITRE DE COURT-BOUILLON

4 POMMES DE TERRE ÉPLUCHÉES DE TAILLE MOYENNE

1/2 FEUILLE DE LAURIER

1 ANIS ÉTOILÉ

SEL DE MER

UNE PINCÉE DE POIVRE DE CAYENNE

4 CUIL. À SOUPE DE CRÈME AIGRE

4 GOUSSES D'AIL

500 G D'OS DE RENNE

500 G D'ÉPAULE DE RENNE DÉSOSSÉE

1 CUIL. À CAFÉ DE GROS SEL

3 L D'EAU

1 CUIL. À CAFÉ DE GRAINS DE POIVRE NOIR

2 FEUILLES DE LAURIERS

2 CAROTTES

100 G DE CÉLERI ÉPLUCHÉ

2 OIGNONS

400 G DE POMMES DE TERRE

2 CUIL. À SOUPE DE BEURRE

1 DL DE GRUAUX D'ORGE ENTIERS

3 CUIL. À SOUPE DE PERSIL HACHÉ

SOUPE DE RENNE

■ Mettre les os de renne, l'épaule et le sel dans une casserole. Couvrir d'eau. Mettre la marmite sur le feu et écumer soigneusement la surface. Ajouter le poivre et les feuilles de laurier. Laisser cuire environ deux heures jusqu'à ce que la viande soit bien cuite.

Retirer la viande de la marmite et filtrer le bouillon. Couper les légumes en petits cubes et les oignons en quartiers. Faire fondre le beurre dans la marmite et cuire les gruaux d'orge pendant une dizaine de minutes. Verser les cubes de légumes et les quartiers d'oignons dans la marmite et cuire encore quelques instants. Verser le bouillon dans la marmite et laisser cuire. Pour finir, ajouter l'épaule de renne coupée en cubes et le persil haché.

■ Servir immédiatement avec une chaude galette d'orge lapone.

SOUPE AU PERSIL ET SAUCISSES CROQUANTES

■ Mettre tous les ingrédients du bouillon dans une marmite suffisamment grande et cuire à feu doux pendant 45 minutes. Passer au chinois. Un litre de bouillon est nécessaire.

■ Porter le bouillon à ébullition, ajouter le laurier et faire cuire les dés de courgette dans le bouillon 1 minute. Retirer la courgette, verser les dés de chou-rave ou de chou-navet et laisser cuire 2 minutes. Verser ensuite les dés de carottes et laisser cuire aussi 2 minutes.

Presser les saucisses croquantes entre deux doigts pour en extraire des boules de chair de la grosseur du pouce. Les cuire à point dans le bouillon. Mettre de côté et recouvrir d'un film alimentaire.

Couper les pommes de terre en gros dés et les cuire dans le bouillon. Retirer la feuille de laurier et passer finement au mixeur. Reverser en filtrant la soupe dans la marmite et porter à ébullition.

Délayer la fécule dans un peu d'eau et la verser dans la soupe en ébullition. Cuire encore 2 minutes, saler et poivrer. Allonger au besoin avec de l'eau.

■ Dresser dans des assiettes les dés de fromage et de légumes cuits ainsi que les boules de saucisses. Verser le bouillon et parsemer abondamment de persil haché.

6 PERSONNES

POUR LE BOUILLON

50 G D'OIGNONS HACHÉS

50 G DE POIREAU COUPÉ EN FINES RONDELLES

30 G DE CÉLERI EN PETITS DÉS

30 G DE CAROTTE EN PETITS DÉS

1 DL DE PERSIL FINEMENT HACHÉ

1,2 L D'EAU

200 À 250 G DE SAUCISSES CROQUANTES

1 FEUILLE DE LAURIER

30 G DE COURGETTE EN DÉS

40 G DE CHOU-RAVE OU DE CHOU-NAVET EN DÉS

40 G DE CAROTTE EN DÉS

2 POMMES DE TERRE DE TAILLE MOYENNE

2 CUIL. À CAFÉ DE FÉCULE D'ORGE OU DE MAÏS

EAU, SEL ET POIVRE

40 G D'EMMENTHAL TRÈS FORT EN CUBES

1 DL DE PERSIL HACHÉ

4 FILETS DE SANDRE SANS PEAU DE 150 À 170 G

3 CUIL. À SOUPE DE CHAMPIGNONS EN POUDRE

4 CUIL. À SOUPE DE POUDRE D'AMANDES

SEL

1 JAUNE D'OEUF

BEURRE POUR LA CUISSON

POUR LA VINAIGRETTE

120 G DE BEURRE

2 CUIL. À SOUPE DE VINAIGRE DE XÉRÈS

FILETS DE SANDRE PANÉS ET VINAIGRETTE CHAUDE

■ Nettoyer les filets de sandre. Bien mélanger les champignons et les amandes en poudre. Saler les filets. Enduire un côté d'une fine couche de jaune d'oeuf et saupoudrer des champignons et amandes en poudre jusqu'à ce que les filets soient joliment couverts.

■ Faire brunir le beurre de la sauce. Le transvaser dans une casserole en le filtrant à la passoire ou à travers une mousseline. Ajouter un doigt de vinaigre de Xérès.

■ Faire blondir le beurre dans une poêle anti-adhésive. Sauter les filets, le côté enduit en premier.

Faire chauffer la vinaigrette à 60 °C en tournant énergiquement.

■ Disposer les filets cuits dans des assiettes individuelles et verser un peu de vinaigrette à côté. Servir par exemple avec des légumes verts cuits à la vapeur.

Boisson conseillée : vin blanc de Bourgogne à demi développé, par exemple du Mâconnais ou un Petit Chablis.

FILETS DE HARENG DE LA BALTIQUE ET BEURRE DE POIVRE VERT

■ Nettoyer les harengs et les couper en filets, ôter les nageoires dorsales. Sécher le poivre vert de conserve en le chauffant dans une poêle anti-adhésive. Verser la vodka et flamber. Laisser refroidir. Battre le beurre en mousse, y mélanger le poivre vert et l'aneth. Bien beurrer un moule à bord bas (de 22 à 24 cm de diamètre) et parsemer le fond de chapelure. Faire chauffer le four à 220°C.

Saler les filets. Les plier en deux, la peau vers le haut, en les pressant légèrement. Les disposer dans le moule les uns à côtés des autres de manière à ce qu'ils dessinent une fleur. Bien enduire les poissons de beurre battu en mousse et parsemer le tout avec le reste de la chapelure.

Cuire au four 20 à 25 minutes jusqu'à ce que la surface soit croustillante et joliment gratinée.

■ Servir chaud avec de la purée de pommes de terre.

Boisson : à la finlandaise, eau ou bière accompagnée d'un verre de vodka, ou un vin blanc italien du Soave.

1,2 KG DE HARENGS DE LA BALTIQUE OU 600 G EN FILETS	
2 CUIL. À CAFÉ DE POIVRE VERT DE CONSERVE	
1 CUIL. À SOUPE DE VODKA FINLANDIA	
100 G DE BEURRE RAMOLLI	
2 CUIL. À SOUPE D'ANETH HACHÉ	
1 CUIL. À SOUPE DE BEURRE POUR LE MOULE	
4 CUIL. À SOUPE DE CHAPELURE	
SEL	

4 PERSONNES

800 G DE CORÉGONES BLANCS

SEL ET POIVRE BLANC

3 CUIL. À SOUPE DE

CHAPELURE

5 CUIL. À SOUPE DE FARINE

DE BLÉ

BEURRE POUR LA CUISSON

BRANCHES D'ANETH

POUR LA PURÉE DE POIREAUX

150 G DE POIREAUX

2 CUIL. À CAFÉ DE BEURRE

1 CUIL. À SOUPE DE FARINE

DE BLÉ

1 DL DE CRÈME

1 DL DE CRÈME AIGRE

SEL ET POIVRE BLANC

POUR LA PRÉPARA-TION DES GALETTES

200 G DE PÂTE FEUILLETÉE

1 JAUNE D'OEUF POUR

BADIGEONNER LES GALETTES

200 G D'OEUFS DE

CORÉGONES BLANCS

CORÉGONES BLANCS À LA POÊLE ET GALETTE FARCIE AUX POIREAUX

■ Les goujons ou les sardines fraîches conviennent à la préparation de ce plat. Nettoyer les corégones en les ouvrant. Les rincer à l'eau froide. Les sécher au papier ménager, les saler et saupoudrer de poivre blanc moulu. Mélanger la chapelure à la farine de blé et bien retourner les poissons un par un dans le mélange.

■ Couper le poireau dans le sens de la longueur et bien le laver à l'eau froide. L'émincer. Faire fondre le beurre dans une casserole et y ajouter le poireau émincé. Laisser revenir un instant et ajouter la farine. Bien mélanger. Ajouter les deux crèmes, saler et poivrer. Cuire 10 minutes à feu doux.

■ Etaler la pâte feuilletée en une abaisse de 0,5 cm d'épaisseur et la couper en 4 carrés. Badigeonner les carrés de jaune d'oeuf puis les cuire au four à 175 °C jusqu'à ce que la pâte soit joliment dorée.

Cuire à feu doux les corégones sur les deux côtés jusqu'à ce qu'ils soient croquants. Fendre les galettes et les farcir du mélange de poireau et d'oeufs de corégones blancs.

■ Dresser dans chaque assiette les corégones avec une galette farcie. Garnir d'une branche d'aneth.

Boisson : de préférence de l'eau minérale.

FOIES DE LOTTE FUMÉS, ROULÉ AUX CHAMPIGNONS ET SAUCE BÉCHAMEL

■ Faire fondre le beurre dans une casserole et y mélanger la farine. Ajouter le lait chauffé et laisser cuire à feu doux 10 minutes. Saler le tout et y verser les jaunes d'oeufs en fouettant. Laisser refroidir. Ajouter les blancs d'oeuf battus en neige et verser le tout sur un papier cuisson couvrant la lèchefrite du four. Faire cuire au four à 175 °C entre 15 et 20 minutes.

■ Etuver au beurre le poireau émincé jusqu'à ce qu'il devienne tendre. Ajouter les champignons coupés en dés et la crème aigre. Epicer au poivre blanc et saler si nécessaire. Etaler la farce sur la pâte. Rouler le tout. Ne le couper en tranches qu'au moment de servir.

■ Enlever les veines qui apparaissent à la surface des foies. Rincer les foies à l'eau froide. Chauffer un litre d'eau dans une casserole et y ajouter l'oignon coupé en morceaux. Assaisonner. Cuire 10 minutes et ajouter les foies de lotte. Laisser cuire encore 5 minutes et retirer les foies du bouillon. Saler les morceaux de foie. Les fumer dans la boîte à fumer jusqu'à complète cuisson.

■ Faire fondre le beurre dans une casserole. Ajouter la farine de blé et bien mélanger. Verser le lait chauffé et faire cuire le tout 10 minutes à feu doux en remuant de temps en temps.

4 PERSONNES

POUR LE ROULÉ AUX CHAMPIGNONS

50 G DE BEURRE

0,5 DL DE FARINE DE BLÉ

4 DL DE LAIT ENTIER

1 CUIL. À CAFÉ DE SEL

4 JAUNES D'OEUFS

4 BLANCS D'OEUFS

POUR LA FARCE

1 POIREAU ÉMINCÉ

1 CUIL. À SOUPE DE BEURRE

300 G DE CHAMPIGNONS DES BOIS BLANCHIS

3 CUIL. À SOUPE DE CRÈME AIGRE OU FRAÎCHE

POIVRE BLANC DU MOULIN, SEL

POUR LES FOIES DE LOTTE FUMÉS

400 G DE FOIES DE LOTTE

1 L D'EAU

1 OIGNON

SEL ET POIVRE NOIR

2 FEUILLES DE LAURIER

POUR LA SAUCE BÉCHAMEL

2 CUIL. À SOUPE DE BEURRE

3 CUIL. À SOUPE DE FARINE DE BLÉ

0,5 L DE LAIT

SEL ET POIVRE BLANC

4 PERSONNES

1 KG D'ÉPAULE DE BOEUF
DÉSOSSÉE

1 CUIL. À CAFÉ DE GROS SEL

3 L D'EAU

1 PETIT OIGNON

2 CAROTTES

100 G DE CÉLERI RAVE
ÉPLUCHÉ

50 G DE PANAIS ÉPLUCHÉ

2 FEUILLES DE LAURIER

1/2 CUIL. À CAFÉ DE GRAINS
DE POIVRE BLANC

POUR LA SAUCE AU RAIFORT

50 G DE BEURRE

1 DL DE FARINE DE BLÉ

2 L DE BOUILLON DE BOEUF
PASSÉ

POIVRE BLANC

(SEL)

1 DL (ENV. 50 G) DE RAIFORT
RÂPÉ

BOEUF BOUILLI ET SAUCE AU RAIFORT

■ Mettre l'épaule de boeuf, le sel et l'eau dans une marmite. Mettre sur le feu. Ecumer la surface. Ajouter les racines potagères coupées en gros morceaux et les assaisonnements enveloppés dans un sachet de gaze. Cuire à feu doux 2 heures environ jusqu'à ce que la viande soit devenue tendre.

Mettre la viande dans un autre récipient et filtrer le bouillon. Retirer le sachet d'assaisonnements et réduire les racines potagères en purée.

Poser un poids sur la viande et conserver dans un endroit froid toute la nuit. Laisser également refroidir le bouillon et dégraisser. Au moment de servir, couper la viande en fines tranches et la réchauffer au four mouillée avec du bouillon.

■ Pour préparer la sauce, faire fondre 50 g de beurre dans une casserole. Ajouter la farine et bien mélanger. Ajouter le bouillon chaud, bien mélanger et laisser réduire le liquide du tiers. Assaisonner la sauce de poivre blanc moulu et ajouter du sel au besoin. Mélanger à la sauce le raifort râpé et porter à ébullition.

■ Disposer le boeuf en tranches et la purée de racines potagères dans des assiettes individuelles et servir avec la sauce.

Boisson : vin rouge fruité des Côtes du Rhône ou vin blanc italien du Veneto.

ECHINE DE PORC À LA BIÈRE ET AU MIEL

■ Faire revenir, dans une poêle, les morceaux de porc dans une cuillerée à soupe de beurre. Saler, poivrer, laisser de côté.

Mettre le reste du beurre dans la même poêle et y faire dorer les oignons coupés en petits morceaux. Saler, poivrer et ajouter du miel. Verser la moitié des oignons et la feuille de laurier dans une cocotte à couvercle et allant au four. Poser au-dessus les morceaux de porc et les recouvrir du reste des oignons. Verser la bière, fermer hermétiquement et cuire au four à 180 °C de 2 à 2 heures 30.

■ Cuire les pommes de terre et les choux-navets dans des casseroles distinctes. Les passer au mixeur. Ajouter à la purée ainsi obtenue le beurre et la crème bouillie. Saler, ajouter la muscade et parsemer de persil en dernier.

■ Servir les morceaux d'échine de porc très chauds avec le bouillon et la purée.

Servir avec une bière légère.

4 PERSONNES

4 MORCEAUX D'ÉCHINE DE PORC DE 170 G ET DE 1,5 CM D'ÉPAISSEUR

2 CUIL. À SOUPE DE BEURRE

SEL ET POIVRE BLANC FRAÎCHEMENT MOULU

400 G D'OIGNONS ÉPLUCHÉS

1 À 1 1/2 CUIL. À SOUPE DE MIEL LIQUIDE

1 DEMI-FEUILLE DE LAURIER

2 DL DE BIÈRE BRUNE

POUR LA PURÉE DE POMMES DE TERRE ET DE CHOUX-NAVETS

300 G DE POMMES DE TERRE ÉPLUCHÉES

300 G DE CHOUX-NAVETS ÉPLUCHÉS

50 G DE BEURRE

1 DL DE CRÈME ALLÉGÉE

SEL

UNE PINCÉE DE MUSCADE

PERSIL HACHÉ

600 G DE FILET DE PORC NETTOYÉ

300 G DE CHOUCROUTE

2 DL DE VIN BLANC SEC

EAU

1 CLOU DE GIROFLE

1 PETIT OIGNON

1/2 FEUILLE DE LAURIER

150 G DE CHOU POMMÉ, PRIMEUR DE PRÉFÉRENCE

150 G DE CHOU DE SAVOIE

SEL DE MER

2 CUIL. À SOUPE DE SAUCE TOMATE

2 CUIL. À SOUPE DE BEURRE POUR LA CUISSON DES CHOUX

1 BONNE CUIL. À SOUPE DE FÉCULE DE MAÏS

1 DL DE CRÈME AIGRE

1 CUIL. À SOUPE DE MÉLASSE

SEL ET POIVRE

1 CUIL. À SOUPE DE BEURRE POUR LA CUISSON

NOISETTES DE PORC ET TROIS CHOUX

■ Mettre la choucroute dans une marmite. Verser le vin blanc et autant d'eau que nécessaire pour la couvrir entièrement. Enfoncer le clou de girofle dans l'oignon. L'ajouter à la choucroute avec la feuille de laurier. Porter à ébullition et faire mijoter, le couvercle entrouvert, jusqu'à ce que la choucroute soit cuite. La passer et conserver le bouillon. Enlever l'oignon et le laurier. Couper les choux en tranches de 0,5 cm et les cuire à point dans de l'eau, saler. Les rincer immédiatement à l'eau froide pour qu'ils conservent leur belle couleur. Bien égoutter. Couper les filets de porc en morceaux de 50 g et les presser en noisettes.

Mesurer 3 dl de bouillon de choucroute (ajouter au besoin du vin blanc). Cuire 5 minutes, à feu doux, la sauce tomate dans 2 cuillerées à soupe de beurre. Y mélanger le bouillon en remuant constamment, faire bouillir et lier avec la fécule de maïs délayée dans une cuillerée à soupe de vin blanc. Cuire à feu doux pendant 5 minutes et ajouter en tournant la crème aigre et la mélasse. Cuire encore 2 minutes, saler et poivrer au besoin. Mélanger tous les choux, saler et poivrer modérément, faire chauffer doucement dans du beurre. Garder au chaud.

■ Saler et poivrer les noisettes de porc et les cuire au beurre.

Disposer les choux en petits tas dans des assiettes individuelles, les entourer d'une nappe de sauce et y dresser les noisettes de porc.

Boisson conseillée : vin sec et acide comme le riesling alsacien.

BOULETTES DE MOUTON ET SAUCE AUX HARICOTS ROUGES

■ Emietter le pain dans un saladier, le mouiller avec le bouillon de viande de manière à obtenir un mélange très lisse. Ajouter la viande de mouton hachée et tous les autres ingrédients. Bien mélanger. Mettre la pâte au frais pendant 30 minutes et former des petites boulettes.

■ Tremper les haricots dans beaucoup d'eau froide pendant 24 heures. Mettre dans une casserole les haricots trempés, l'oignon haché et le bacon coupé en tout petits dés. Verser le bouillon de viande et le vinaigre de vin. Ajouter sel, poivre et beurre. Porter à ébullition et écumer la surface. Couvrir et laisser mijoter de 2 à 2 heures 30 jusqu'à ce que les haricots soient entièrement cuits. Additionner de la mélasse jusqu'à ce que la sauce devienne aigre-douce. Ajouter au besoin un peu de vinaigre de vin. Délayer la fécule dans un peu d'eau et la mélanger ensuite au bouillon de haricots sans cesser de tourner avec une cuillère. La sauce doit être légèrement liée. Vérifier l'assaisonnement.

■ Faire sauter les boulettes dans du beurre et enlever la graisse de cuisson. Mélanger la sauce aux haricots et les boulettes de mouton. Servir avec des pommes de terre rôties ou en purée.

Boisson conseillée : bière ou eau minérale.

---

4 PERSONNES

500 G DE MOUTON HACHÉ

3 TRANCHES DE PAIN POUR TOAST SANS CROÛTE

2 DL DE BOUILLON DE BOEUF FROID

2 OEUFS

8 GRAINS DE POIVRE BLANC CONCASSÉS

8 GRAINS DE POIVRE NOIR CONCASSÉS

4 GRAINS DE POIVRE DE LA JAMAÏQUE CONCASSÉS

2 CUIL. À SOUPE D'OIGNON FINEMENT HACHÉ

SEL

BEURRE POUR CUIRE

POUR LA SAUCE AUX HARICOTS ROUGES

100 G DE HARICOTS ROUGES

1 PETIT OIGNON HACHÉ

60 G DE BACON LÉGÈREMENT FUMÉ

3 À 4 DL DE BOUILLON DE BOEUF

3 CUIL. À SOUPE DE VINAIGRE DE VIN ROUGE

SEL ET POIVRE

1 CUIL. À SOUPE DE BEURRE FROID

3 CUIL. À SOUPE DE MÉLASSE BRUNE

1 CUIL. À SOUPE DE FÉCULE D'ORGE OU DE MAÏS

2 CUIL. À SOUPE D'EAU

3 À 4 MORCEAUX DE RÔTI DE

RENNE (700-800G)

SEL, POIVRE

BEURRE POUR CUIRE

POUR LA POLENTA DE SARRASIN

4 DL D'EAU

SEL ET POIVRE

120 G DE GRUAUX DE

SARRASIN

BEURRE

50 G D'OIGNON HACHÉ

40 G DE RENNE FUMÉ HACHÉ

OU COUPÉ EN TRÈS PETITS DÉS

2 CUIL. À SOUPE DE PERSIL

FINEMENT HACHÉ

8 FINES TRANCHES DE LARD

MAIGRE

POUR LE GRATIN DE CHOUX-RAVES

400 G DE CHOUX-RAVES

ÉPLUCHÉS

100 G D'EMMENTHAL TRÈS

FORT

EAU ET SEL DE MER

1/2 GOUSSE D'AIL

BEURRE

2 DL DE CRÈME LIQUIDE

1 JAUNE D'OEUF

1 OEUF

SEL ET POIVRE

MUSCADE RÂPÉE

RENNE RÔTI, POLENTA DE SARRASIN

■ Porter l'eau salée à ébullition, y mélanger les gruaux de sarrasin, cuire à feu doux 40 minutes jusqu'à obtenir une pâte épaisse. Saler et poivrer. Cuire l'oignon haché dans un peu de beurre. L'ajouter à la pâte de sarrasin avec le renne fumé et le persil haché. Laisser refroidir. Pétrir la pâte et la diviser en boules de 2,5 à 3 cm de diamètre. Les aplanir légèrement et les barder de tranches de lard. Couper les choux-raves et l'emmenthal en dés de 1 cm. Cuire le chou-rave dans de l'eau salée jusqu'à ce qu'il soit presque à point. Le rincer à l'eau froide et bien l'égoutter. Bien frotter avec de l'ail et beurrer un plat à bord bas allant au four. Mélanger le chou-rave et le fromage et bien étaler le tout dans le plat. Mélanger la crème, le jaune d'oeuf et l'oeuf. Assaisonner avec du sel, du poivre et de la muscade. Verser sur le chou-rave. Cuire au four à 175 °C de 35 à 45 minutes.

■ Exposer la viande à la température de la pièce 1 heure avant la préparation. Saler et poivrer. La faire revenir dans du beurre et la mettre au four à 200 °C pendant environ 12 minutes. Mettre le renne rôti dans un autre plat. Garder au chaud. Faire revenir au beurre les galettes de polenta et les cuire 10 minutes à 200 °C. Couper les morceaux de rennes rôtis en fines tranches, les accompagner de deux galettes de polenta par personne et servir séparément le gratiné de chou-rave. Si une sauce est souhaitée, elle sera de préférence brune et au poivre.

Boisson conseillée : un Gran Reserva rioja plutôt doux.

PAUPIETTES DE BOEUF FARCIES AUX CORNICHONS SALÉS ET AU LARD GRAS

■ Couper toutes les racines potagères en petits dés. Eplucher les concombres, couper les bouts, les diviser en quartiers dans le sens de la longueur. Couper le lard en huit morceaux minces. Si les tranches de rosbif ne sont pas suffisamment fines, on peut les frapper entre deux feuilles de film alimentaire. Etendre les tranches sur la planche à découper. Poser, sur chaque tranche de viande, un morceau de lard et un quartier de cornichon, enrouler en serrant fort et fixer le tout avec une pique en bois. Chauffer le four à 170 °C.

■ Faire blondir le beurre dans une poêle. Faire revenir les paupiettes de boeuf, saler et poivrer, les mettre dans la marmite. Y faire revenir les dés de racines dans la même poêle pour leur donner de la couleur, les ajouter dans la marmite. Incorporer la feuille de laurier et la moitié du bouillon de viande. Placer le couvercle et mettre au four. Attendre que les paupiettes soient cuites, 40 à 60 minutes selon la qualité de la viande. Mettre les paupiettes dans un autre récipient et les conserver au chaud. Retirer les piques en bois. Verser dans la marmite le reste du bouillon, ajouter le filet d'anchois et la moutarde. Cuire le couvercle fermé jusqu'à ce que les légumes soient tendres. Passer les légumes et le bouillon au mixeur pour obtenir une sauce lisse. Vérifier l'assaisonnement.

■ Verser la sauce sur les paupiettes et porter à ébullition. Servir avec une bonne purée de pommes de terre. Boisson conseillée : vin de Corbières ou Fitou.

8 FINES TRANCHES DE ROSBIF DE 75 G CHACUNE

1 CAROTTE ÉPLUCHÉE

50 G DE CÉLERI-RAVE

1 OIGNON ÉPLUCHÉ

2 CONCOMBRES À LA RUSSE OU CORNICHONS

120 G DE LARD GRAS

30 G DE BEURRE

SEL ET POIVRE

1 FEUILLE DE LAURIER

3 DL DE BOUILLON DE BOEUF

1 PETIT FILET D'ANCHOIS

1 CUIL. À CAFÉ DE MOUTARDE DE DIJON

PERSIL HACHÉ

DEUX FINES TRANCHES DE BIFTECK

50 À 60 G DE MOELLE DE BOEUF, DE PRÉFÉRENCE

EN UN GROS MORCEAU

EAU

GROS SEL DE MER

CIBOULETTE

HUILE D'OLIVE

POIVRE NOIR CONCASSÉ

2 CUIL. À SOUPE D'UN BON JUS DE RÔTI FONCÉ

DEUX PAILLARDS DE BOEUF À LA MOELLE

■ Tremper les moelles dans de l'eau froide et laisser au réfrigérateur 24 heures. Les cuire dans une eau au sel de mer. Laisser refroidir un peu, couper les moelles en fines tranches puis les remettre dans le bouillon.

Hacher la ciboulette. Enduire les steaks d'huile d'olive. Les faire griller ou les passer à la poêle à feu très chaud sur un seul côté.

Chauffer les tranches de moelle et les disposer sur le côté cru des biftecks. Assaisonner au sel de mer et au poivre concassé, parsemer abondamment de ciboulette hachée. Disposer les biftecks en pair l'un sur l'autre, le côté cru vers le haut et mettre au four à 250 °C pendant 30 secondes.

■ Entourer les biftecks du jus de rôti. Servir par exemple avec de la salade. L'assiette peut être décorée de 3 ou 4 triangles de pain de seigle grillé.

Pour ce plat robuste, nous suggérons un vin rouge abondant des Corbières ou du Roussillon.

POULE DES NEIGES À LA CRÈME AIGRE

4 PERSONNES

■ Séparer le blanc des poules avec un couteau bien aiguisé. Couper les racines potagères et l'oignon en morceaux de 3 cm. Les mettre ainsi coupés dans une lèchefrite bien graissée. Découper la carcasse des volailles et les déposer sur les racines potagères. Faire cuire au four à 200 °C pendant 20 à 30 minutes. Ajouter la sauce tomate dans la lèchefrite au cours de la cuisson. Mettre les morceaux de carcasse, les légumes dorés et les assaisonnements dans une casserole. Ajouter de l'eau. Cuire à feu doux pendant 1 heure.

■ Assaisonner les blancs avec du sel et du poivre blanc moulu. Faire fondre 1 cuillerée à soupe de beurre dans une poêle chaude et faire revenir les blancs sur les deux côtés. Disposer les blancs dans un plat à rôtir beurré. Cuire 6 à 7 minutes à 200 °C. Laisser reposer 5 minutes sous un linge avant de servir.

■ Mettre dans la poêle le reste de beurre et la farine. Faire dorer la farine et ajouter 3 dl du bouillon de carcasse. Laisser le liquide réduire d'environ un tiers pendant la cuisson. Ajouter le poireau émincé et la crème aigre. Laisser bouillir encore 2 minutes.

■ Servir les blancs de poule des neiges avec la sauce et les légumes cuits au four.

    Boisson : un léger merlot californien ou un Côtes de Buzet.

4 POULES DES NEIGES

1 GROS OIGNON

150 G DE CAROTTE

200 G DE CÉLERI

150 G DE PANAIS

2 CUIL. À SOUPE DE SAUCE TOMATE

3 L D'EAU

3 FEUILLES DE LAURIER

10 GRAINES DE GENIÈVRE CONCASSÉES

1 CUIL. À CAFÉ DE GRAINS DE POIVRE BLANC

SEL ET POIVRE BLANC MOULU

2 CUIL. À SOUPE DE BEURRE

1 CUIL. À SOUPE DE FARINE DE BLÉ

50 G DE LA PARTIE VERTE ÉMINCÉE D'UN POIREAU

1 DL DE CRÈME AIGRE

8 PERSONNES

750 G DE LAPIN

(ENV. 6 MORCEAUX)

2 CUIL. À SOUPE D'HUILE

1 CUIL. DE ROMARIN HACHÉ

2 CUIL. DE PERSIL HACHÉ

3 BAIES DE GENIÈVRE

CONCASSÉES

2 GROS OIGNONS

1 CUIL. À SOUPE DE BEURRE

3 DL DE RIZ CUIT

SEL

POIVRE BLANC MOULU

1 CHOU POMMÉ

2 DL DE BOUILLON DE BOEUF

0,5 DL DE MÉLASSE

POUR LA SAUCE

1 CUIL. À SOUPE DE BEURRE

1 CUIL. À SOUPE DE FARINE

DE BLÉ

JUS DE LA CUISSON DU LAPIN

CRÈME

SEL ET POIVRE BLANC MOULU

LAPIN SUR FEUILLES DE CHOU

■ Mélanger à l'huile les fines herbes hachées et les baies de genièvre broyées. Désosser les morceaux de lapin et les assaisonner généreusement de ce mélange. Laisser mariner 2 heures.

Cuire les oignons hachés dans du beurre pour les ramolir. Ajouter le riz cuit. Saler et poivrer.

Retirer le trognon du chou et les feuilles extérieures brisées. Cuire le chou dans de l'eau salée. Enlever les feuilles à mesure qu'elles deviennent tendres. Laisser refroidir. Amincir avec un couteau la nervure centrale des feuilles. Disposer sur les feuilles les morceaux de lapin salés et poivrés. Répartir le riz à l'oignon sur les morceaux de lapin. Replier le bord des feuilles de manière à bien envelopper chaque portion. Disposer ensuite les paupiettes dans un plat allant au four et les cuire à 175 °C de 30 à 35 minutes. Arroser souvent les feuilles de chou avec un mélange de bouillon de viande et de mélasse.

■ Faire fondre du beurre dans une casserole. Ajouter la farine et la faire blondir à feu doux. Ajouter le bouillon de cuisson du lapin et bien mélanger. Ajouter de la crème jusqu'à obtenir une sauce épaisse. Saler et poivrer.

■ Servir avec la sauce et des airelles rouges pilonnées.

Boisson conseillée : bourgogne Côte de Nuits.

POULE DES NEIGES AU POT

■ Désosser les poules. Mettre les os brisés dans une casserole et les faire revenir dans du beurre. Ajouter la carotte coupée en dés, le céleri et l'oignon et les bien faire revenir. Ajouter l'eau et laisser cuire pendant environ 2 heures. Passer le bouillon à la passoire et continuer à le cuire jusqu'à ce qu'il se réduise à environ 2 dl. Ajouter la crème liquide et lier avec le beurre manié. Relever la sauce avec la gelée de cassis et le fromage bleu. Couper les champignons. Les faire revenir dans du beurre avec les oignons hachés.

■ Fondre un peu de beurre dans une marmite en fonte. Couper en lamelles la chair des poules et faire revenir dans du beurre. Verser le gin et flamber. Ajouter les champignons et la sauce déjà prête. Saler et poivrer. Laisser frémir la sauce sans la faire cuire. Verser directement dans les assiettes individuelles. Servir par exemple avec des crêpes sautées au beurre.

Boisson conseillée : abondant Côte de Beaune de Bourgogne ou Gran Reserva rioja mûr.

4 PERSONNES

2 POULES DES NEIGES

BEURRE POUR CUIRE

1 CAROTTE

50 G DE CÉLERI

2 OIGNONS

EAU

2 DL DE BOUILLON DE POULE DES NEIGES

2 DL DE CRÈME LIQUIDE

1 CUIL. À SOUPE DE BEURRE MANIÉ

2 CUIL. À SOUPE DE GELÉE DE CASSIS

20 G DE FROMAGE BLEU

200 G DE PLANTIÉS DE CHÊNE

4 CL DE GIN

SEL ET POIVRE

4 PERSONNES

8 DL DE FRAMBOISES, CANNEBERGES, FRAISES ET MYRTILLES

200 G DE SUCRE FIN

2 À 3 DL DE CRÈME

BAIES GLACÉES ET CRÈME CARAMEL CHAUDE

■ Faire caraméliser le sucre dans une casserole. Ajouter la crème et laisser cuire jusqu'à ce que le sucre ait entièrement fondu. Mettre les baies gelées dans des coupes individuelles et servir, à part, la crème caramel chaude.

FROMAGE AU FOUR ET MÛRES DES MARAIS

■ Couper des portions de fromage et les disposer dans un plat allant au four.
Verser la crème dans le plat, ajouter les mûres des marais et parsemer d'un
mélange cannelle-sucre. Faire cuire à 200 °C pendant 15 minutes.

■ Servir chaud dans le plat de cuisson.

4 PERSONNES

400 G DE FROMAGE AU FOUR DE KAINUU

4 DL DE CRÈME LIQUIDE

250 G DE MÛRES DES MARAIS

4 CUIL. À SOUPE DE SUCRE

4 CUIL. À CAFÉ DE CANNELLE

NOËL, LA FÊTE

OÙ LA TABLE EST

SERVIE À TOUTES

HEURES !

La table de Noël finlandaise rend hommage aux traditions nationales. Il fut un temps où les plats de Noël étaient préparés bien avant les fêtes, ce qui explique qu'on les servait froids pour la plupart. Si la table de Noël n'est plus dressée en permanence de la veille de Noël à la Saint-Sylvestre, la coutume exige encore qu'elle offre plus que ce que les convives sont à même de manger au cours d'un seul repas. Mais vous pouvez être sûr que ce ne sont pas toujours les lutins qui rôdent la nuit près du réfrigérateur.

Ci-dessous, quelques plats de Noël finlandais :

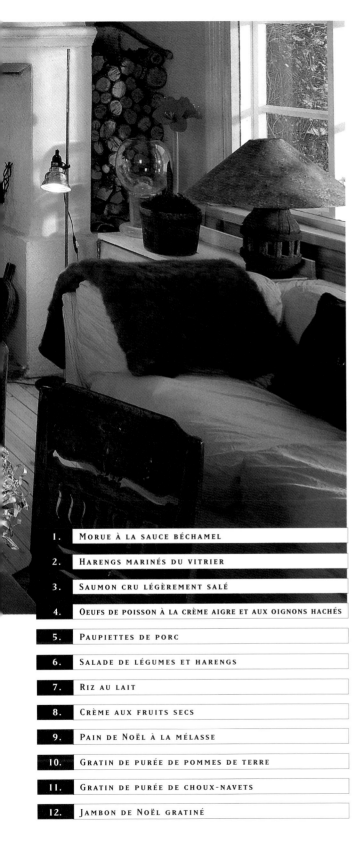

1.	MORUE À LA SAUCE BÉCHAMEL
2.	HARENGS MARINÉS DU VITRIER
3.	SAUMON CRU LÉGÈREMENT SALÉ
4.	OEUFS DE POISSON À LA CRÈME AIGRE ET AUX OIGNONS HACHÉS
5.	PAUPIETTES DE PORC
6.	SALADE DE LÉGUMES ET HARENGS
7.	RIZ AU LAIT
8.	CRÈME AUX FRUITS SECS
9.	PAIN DE NOËL À LA MÉLASSE
10.	GRATIN DE PURÉE DE POMMES DE TERRE
11.	GRATIN DE PURÉE DE CHOUX-NAVETS
12.	JAMBON DE NOËL GRATINÉ

On prétend que les Finlandais célèbrent Noël de plus en plus tôt. La raison en est à la fois pratique et mercantile. Les semaines précédant Noël sont devenues une sorte de substitut des carnavals. La période commençant le premier dimanche de l'Avent et finissant la veille de Noël est trop courte pour que les gens puissent s'acquitter honorablement de l'événement probablement le plus social de l'année. C'est la raison pour laquelle les « Petits Noëls », devenus une véritable institution nationale, se fêtent de plus en plus dès novembre.

Les Finlandais invitent volontiers chez eux, dans les semaines qui précèdent Noël, amis et connaissances auxquels est offert un bon vin chaud sucré appelé *glögi*. Les recettes du *glögi* se comptent sans aucun doute par centaines. Chacun se fait fort d'ajouter sa propre variante prétendument authentique et ayant fini par lui donner satisfaction à l'usage. Nous nous permettons d'ajouter la nôtre que nous baptiserons pour la circonstance l'*Eero Spécial.*

L'EERO SPÉCIAL (VIN CHAUD SUCRÉ *GLÖGI*)

8–10 VERRES

1 L DE VIN ROUGE
8 CL DE VODKA OU D'AQUAVIT FINLANDAISE EXTRA
0,5 L DE VIN DE CASSIS
SUCRE FIN À VOLONTÉ
1 ÉCORCE DE CANNELLE
12 CLOUS DE GIROFLE
5 GRAINS DE CARDAMOME
1 CITRON
AMANDES EFFILÉES ET RAISINS SECS

Mélanger le vin rouge, la vodka ou l'aquavit et le vin de cassis. Faire chauffer. Ajouter le sucre, les aromates et le zeste de citron. Mélanger le tout et laisser reposer une nuit. Réchauffer avant de servir mais ne pas porter à ébullition pour conserver l'arome. Servir très chaud dans des verres au fond tapissé d'amandes effilées et de raisins secs.

Les Finlandais aiment à passer les fêtes de Noël en famille, perdus au milieu des immensités enneigées de leur enfance.

Ils croient aux petits lutins et au Père Noël et sont persuadés qu'il loge tout là-haut, dans les montagnes de Laponie, en un lieu appelé la *Colline de l'Oreille*. Ils voudraient tant que le reste du monde partage leur croyance au seul et vrai Père Noël, le leur. N'ont-ils pas toujours connu, ou presque, le fameux *White Christmas* de la chanson dont rêvent les autres peuples ?

Faut-il ajouter, après ce qui vient d'être dit, que Noël et ses traditions occupent une place toute spéciale dans le coeur des Finlandais.

Les plats de Noël n'échappent pas à la règle, à preuve les *Harengs marinés du vitrier* sans lesquels on vous dira que Noël n'est pas vraiment Noël.

LES HARENGS MARINÉS DU VITRIER

6 PERSONNES
2 HARENGS D'ISLANDE SALÉS
EAU, UN MORCEAU DE RAIFORT
2 OIGNONS ROUGES, 1 CAROTTE
1 CUIL. À CAFÉ DE GRAINS DE POIVRE BLANC
1 CUIL. À CAFÉ D GRAINES DE MOUTARDE
1 MORCEAU DE GINGEMBRE
2 FEUILLES DE LAURIER

POUR LA MARINADE

3 DL DE VINAIGRE POUR CONSERVE
1 DL DE SUCRE

Nettoyer les harengs. Ne pas retirer la peau mais enlever arêtes et nageoires. Tremper dans l'eau 8 heures environ. Egoutter les harengs et les couper en morceaux, aussi le raifort, les oignons et carottes. Les disposer en couches dans une verrine. Saler et poivrer. Faire bouillir la marinade, laisser refroidir et verser sur les harengs dans la verrine. Servir après trois jours.

Le jambon trône sur la table de Noël. Pour son salage et sa cuisson, les recettes ne se comptent pas mais les Finlandais se contentent pour la plupart d'acheter le jambon présalé. Ils le font ensuite cuire pendant des heures à feu très doux jusqu'à ce qu'il soit devenu tendre. Nous avons salé et fait cuire notre propre jambon selon la tradition. Nous lui avons ensuite enlevé la peau et l'avons badigeonné avec un mélange de jaune d'oeuf, de moutarde et de chapelure. Après 10 minutes à four très chaud, le jambon prend une jolie couleur dorée. Nous le criblons ensuite de clous de girofle entiers. Les petits pois, les prunes et les gratins de légumes sont les compléments indispensables au jambon de Noël.

Les gratins de purée de choux-navets et de purée de pommes de terre ont fait partie de la cuisine familiale finlandaise depuis des temps reculés. Les gratins de carotte et de foie sont des emprunts à la cuisine de l'ouest de la Finlande.

La crème aux fruits secs et le *kiisseli* de prunes ne garnissent peut-être plus aussi souvent qu'avant la table de Noël, mais ces desserts nous font revivre l'époque pas si éloignée où les fruits exotiques n'arrivaient que secs et une seule fois par an, précisément à l'époque de Noël.

Comme les harengs marinés du vitrier, la morue est apparue sur la table de Noël finlandais par le biais de la bourgeoisie suédoise.

Ce plat divise le peuple plus encore que les barrières linguistiques ou culturelles : les uns ne jurent que par la morue de Noël, persuadés que son secret réside dans la qualité même du poisson, les autres prétendant que la morue ne trouve salut que dans la sauce blanche.

CRÈME AUX FRUITS SECS

6 PERSONNES
150 G DE FRUITS SECS ASSORTIS
1 L D'EAU, 1 DL DE SUCRE
1 ÉCORCE DE CANNELLE
1 CUIL. À SOUPE DE FARINE DE POMME DE TERRE,
1 CUIL. À SOUPE DE JUS DE CITRON

Rincer les fruits secs à l'eau froide. Verser l'eau et le sucre dans une casserole. Laisser tremper les fruits secs dans l'eau sucrée toute une nuit. Ajouter l'écorce de cannelle. Cuire à feu doux 30 minutes dans une casserole. Retirer la cannelle et transvaser prudemment les fruits secs dans les coupes. Délayer la farine de pommes de terre dans un peu d'eau. Faire bouillir le jus des fruits et y ajouter le mélange eau-farine. Arrêter l'ébullition. Verser le tout sur les fruits. Servir avec une crème fouettée.

LES VAISSELLES, LES VERRES ET LES COUVERTS

DE LA COLLECTION

DE LA SOCIÉTÉ HACKMAN DESIGNOR OY AB

ONT ETE SELECTIONNES POUR LES ILLUSTRATIONS